C'est la vie...

C'est la vie...

edited by:

Patrick Baillot d'Estivaux, M.A.

and

Maurice R. Smith, B.A.
Head, Modern Language Department,
Oakwood Collegiate Institute, Toronto.

illustrations:

Carlos Sanchez

The House of Grant (Canada) Ltd.

Acknowledgements

For his wonderful illustrations which have once more added to the charm of our book, the Publishers and the Editors wish to thank sincerely Mr. Carlos Sanchez.

Grateful acknowledgement is made to the following authors and publishers for permission to adapt and to use their original or copyrighted materials:

Maurice Renault and M. J. Sternberg for *Les Conquérants*; Jean Nocher for his story *Les Deux Pigeons*; Editions Gallimard for *Le Petit Prince et le Renard* by Antoine Saint-Exupéry and *Le Temps Mort* by Marcel Ayme; Roger Lemelin for his story *Haut les Mains!*; Editions Bernard Grasset for *Le Bureau des Mariages* by Hervé Bazin; Editions Robert Laffont for *La Revanche du Prestidigitateur* by Stephen Leacock; Editions Pierre Horay for *Une Parisienne au volant de sa voiture* by Nicole de Buron; Librairie Plon for *Le Champ de Tir* by Joseph Kessel; Librairie Ernest Flammarion for *Thanatos Palace Hotel* and *Naissance d'un Maître* by André Maurois; Maurice Druon for two of his stories *Une Fille Blonde* and *Patrouille de Nuit*; Les Editeurs Français Réunis for *Le Médecin de Campagne* by Pierre Courtade; Adrien Thério for his story *Le Chapeau Blanc*.

Every effort has been made to trace the ownership of copyrighted materials. The Publishers welcome information regarding any omissions and they will be rectified.

Table des matières

Avant-propos

Nous avons réuni, dans ce recueil, des contes et récits classiques et contemporains qui illustrent à des degrés différents bien des situations de la vie: situations comiques ou tragiques, romanesques ou aventureuses, violentes ou paisibles, ironiques ou imprévues, réconfortantes ou attristantes, encourageantes ou désespérées. Vous noterez, ici une pointe d'humour, là une note de mélancolie, ailleurs une dose d'optimisme ou bien de pessimisme, ailleurs encore une déclaration de foi ou un soupçon d'amertume, tous éléments qui ne manquent pas tour à tour d'éclairer ou d'assombrir notre vie.

Il est à penser que certains de ces morceaux choisis vous amuseront, que d'autres vous surprendront ou vous agaceront, que quelques-uns vous choquerons même un peu. Nous souhaitons qu'aucun ne vous laisse indifférents.

P. B. d'E.
M. R. S.

La vie est brève
Un peu d'amour
Un peu de rêve
Et puis, Bonjour

La vie est vaine
Un peu d'espoir
Un peu de haine
Et puis, Bonsoir!

Alfred de Musset

Les maximes plaisent au lecteur parce qu'elles le font penser.
Condillac

Je me presse de rire de tout de peur d'être obligé d'en pleurer bientôt.
Beaumarchais

Bombe atomique et bonnes manières

Tout le monde sait bien qu'on ne peut pas toujours laisser entrer le voisin qui vient frapper à la porte de votre abri anti-atomique. Après tout, pourquoi le paresseux n'a-t-il pas, lui aussi, construit dans son jardin son propre abri, au lieu d'aller pêcher ou jouer au
5 golf? Cependant, il se pose encore quelques petits problèmes d'étiquette qui ne sont pas sans importance si on veut sauvegarder les bonnes manières en cet âge déjà trop dissolu.

Supposons par exemple que l'attaque ait lieu au cours d'un dîner que vous donnez. Vous avez invité des amis à prendre un
10 verre ou à manger, mais non à utiliser votre abri. La bombe tombe, disons, entre le dessert et les liqueurs. Comment allez-vous réussir à faire sortir vos amis dans l'atmosphère radioactive sans les offenser? Comment allez-vous tourner votre phrase?

Eh bien, franchement, je crois que l'attitude joviale est la meil-
15 leure: "Allons! Voici votre chapeau et voici la porte!" Et puis quelque chose de ce genre: "Excusez-moi de ne pas vous raccompagner jusqu'à votre voiture, mais mon docteur m'a assuré que les particules radioactives étaient vraiment trop mauvaises pour les yeux. Ha ha ha!"
20 Je suis sûr que vous obtiendrez avec ça un gros succès d'hilarité. Rien de tel que le danger pour provoquer le rire.

Bien, entendu, il existe, parmi les spécialistes de l'étiquette, une autre école de pensée, selon laquelle il serait en fait plus aimable pour vos amis de les abattre immédiatement, à table. Ce serait plus
25 rapide, plus net, plus charitable.

Je ne suis pas d'accord. Je considère comme une impolitesse d'abattre des gens à sa propre table, même avec la meilleure des

2

intentions. Il y a déjà trop de bons usages qui se perdent et disparaissent; presque plus personne, par exemple, ne s'habille pour le dîner; alors, au nom du ciel, ne tuons pas nos amis à table! Il est déjà assez déplaisant d'avoir à le faire dans notre lit si nous les y trouvons . . . mais jamais, jamais à table, que ce soit bien clair! 5

Il reste enfin à régler le problème des cartes d'invitation: "Monsieur et Madame Untel seraient heureux de recevoir à dîner Monsieur X., le jeudi 29 juin, à 8 heures. R.S.V.P." Et, dans le coin droit du carton, on indiquerait en petits caractères: "Cette invitation ne s'étend pas à l'utilisation de l'abri atomique. Au cas 10 où un danger surviendrait, vos hôtes vous adressent leurs meilleurs voeux, avec l'espoir de vous rencontrer à nouveau, un jour, quelque part."

Une dernière école de pensée nous assure que les abris atomiques ne sont pas drôles du tout. Mais au contraire, ils le sont 15 extrêmement, terriblement si je puis dire: peut-on imaginer rien de plus drôle qu'un abri atomique de jardin destiné à vous protéger contre une bombe hydrogène de vingt mégatonnes? En empilant vos sacs de sable pour la construction de votre abri, songez bien qu'une telle bombe serait capable de détruire complètement Chicago 20 et d'allumer des incendies jusque dans le Wisconsin . . . Peut-être faudrait-il mettre quelques sacs de plus? . . .

J'ai découvert que tout le malheur des hommes vient d'une seule chose, qui est de ne savoir pas demeurer au repos dans une chambre.

Pascal

Où les hommes font un désert, ils disent qu'ils ont donné la paix.

Tacite

On tue un homme, on est un assassin; on en tue des millions, on est un conquérant. On les tue tous, on est un Dieu.

J. Rostand

Les Conquérants

Au XXIIème siècle les hommes avaient fini par réaliser le rêve qui avait jusqu'alors fait couler tant d'encre et de salive: ils avaient réussi à échapper à leur monde terrestre et à conquérir d'autres planètes. C'était l'âge spatial par excellence.

5 Ils avaient d'abord débarqué en force sur la planète Mars, P.1 comme on l'appelait maintenant. Au premier contact, les Terriens avaient été terrifiés par les habitants de cette planète; les Martiens en effet étaient des créatures gigantesques, dont l'apparence ne correspondait pas du tout aux descriptions des récits de
10 science-fiction. Les Terriens faillirent prendre la fuite sans même s'attaquer à ces étranges créatures. Pourtant, dès le premier combat, ils comprirent qu'ils conquerraient facilement ce nouveau monde, sans le moindre risque: en effet les énormes habitants de la planète P.1, les "Pustrules", comme on les appelait familièrement, se
15 dégonflaient et se vidaient de leur vie au simple contact d'un objet métallique. Avec une simple épingle on pouvait en éliminer des quantités, et on en tua ainsi des millions, sans remords. La chasse aux "Pustrules" devint aussi populaire sur P.1 que la chasse aux canards sur la Terre. Au bout d'un an on fut même obligé de
20 parquer dans des réserves les survivants de P.1 pour éviter l'extinction de l'espèce pustrule. La conquête de P.1 s'était faite sans une seule victime pour les Terriens.

4

Sans plus attendre, on envoya sur P.1 des milliers de colons pour extraire le sel de la planète, car c'était sa seule ressource naturelle. L'armée de choc qui avait conquis ce monde nouveau partit vers une nouvelle conquête, la conquête de la planète P.2.

Sur P.2, planète surchauffée, la conquête fut tout aussi facile. On pouvait tuer ses habitants en les arrosant d'eau glacée; c'était presque trop facile pour être amusant et on trouva vite ce jeu monotone. On s'aperçut aussi que ce combat sans gloire était plutôt inutile car, sur cette planète-là, il n'y avait rien à exploiter, excepté la chaleur. On fit donc de P.2 une colonie de vacances pour touristes frileux, et cette "Côte de Feu" connut pendant de longues années une vogue qui fit la fortune des agences de tourisme.

Et ainsi, de planète en planète, d'astéroïde en galaxie, les Terriens se firent une réputation de conquérants infatigables. La Terre était devenue la capitale de l'univers. Pourtant les hommes n'avaient guère changé: ils avaient bien réussi à conquérir les planètes étrangères, ils n'avaient pourtant pas réussi à conquérir ce bonheur dont on parlait tant depuis la création du monde. Les hommes, en effet, qui, d'instinct, avaient toujours été curieux et agressifs, étaient restés avant tout des explorateurs et des guerriers. De toutes les races de l'univers les Terriens n'étaient certainement pas les plus braves, mais ils étaient bien les plus ingénieux et les plus destructifs.

En 2647, la Terre possédait dans l'espace quelques centaines de colonies, des protectorats, des camps de concentration et des parcs nationaux. Et bien entendu la plupart de ces possessions étaient de véritables sources de profits industriels ou commerciaux dont les richesses, malgré les distances considérables, allaient toutes à un unique réceptacle, la Terre.

C'est en 2735 que l'on prit la décision de conquérir la planète P.473, la planète "Mauge" comme l'appelaient les savants. On avait préparé cette expédition avec un soin tout particulier. La planète "Mauge", en effet, selon les rapports des observateurs, contenait une matière première introuvable sur terre depuis trois cents ans et très rare sur les autres planètes: du bois. Cette révélation avait excité tous les appétits de conquête des Terriens et, pour éliminer les risques de défaite, on décida d'envoyer vers P.473 la plus colossale armée d'invasion qu'on eût jamais constituée.

Au matin du jour "J", partant de différents points du globe pour converger vers un centre préétabli situé entre deux galaxies, la gigantesque armée d'assaut de dix millions d'hommes en uniforme de combat traversa les nuages, puis la stratosphère, et s'enfonça
5 dans le silence glacial de l'espace infini. A voir cette armée monstrueuse on aurait pu croire que les Terriens allaient conquérir non pas une simple planète mais tout un morceau d'espace particulièrement dangereux. En fait, et tout le monde le savait bien, P.473 était la moins dangereuse des planètes. Tous les rapports assuraient
10 que ses habitants, les "Mastres", étaient des créatures d'une grande douceur, parfaitement conditionnés à leur monde de forêts et de bois. On disait même qu'ils ressemblaient aux castors, ces animaux que l'on pouvait trouver autrefois sur terre. Ils avaient les mêmes moeurs, les mêmes ambitions limitées: construire, ronger, détruire,
15 puis reconstruire. On ne pouvait guère imaginer d'êtres plus simples et plus inoffensifs. Ils ne connaissaient même pas la méfiance, la haine ou le meurtre, car ils étaient les seules créatures vivantes sur leur planète, et ils ne se battaient jamais entre eux. Leur vie était paisible et calme, dans le silence de leurs immenses forêts. Ils
20 étaient essentiellement herbivores et toute leur civilisation était fondée sur le culte du bois.

Tout cela indiquait que la conquête de P.473 serait un jeu, une véritable partie de plaisir. La mobilisation de l'élite des conquérants terriens pour l'invasion de cette planète avait été inspirée
25 par des considérations de prestige, non par la nécessité. Durant tout le voyage de la Terre à P.473 les hauts-parleurs, pour stimuler l'ardeur combattive des troupes, diffusèrent des ordres précis, des discours vengeurs et des hymnes de guerre. Comme il était difficile de prétendre que la Terre était vraiment menacée par des créatures
30 aussi inoffensives que les Mastres, on insista sur le fait qu'enfin le moment était venu de "sauver la Civilisation par la conquête du bois", matière première plus importante que l'atome. Le bois devint alors l'obsession de chacun; la conquête du bois par la force, les armes et le meurtre apparut comme une mission sacrée. L'attaque
35 de P.473 avait pris un caractère de croisade et, quand les dix millions de Terriens débarquèrent sur la planète, ils étaient si avides de tuer pour amasser du bois que, pour une branche d'arbre,

n'importe quel homme aurait massacré sa propre mère sans hésiter une seconde.

Une heure après le débarquement les Terriens étaient les maîtres absolus d'une planète dépeuplée, couverte de millions de cadavres. On compta les survivants de la race mastre; on en trouva 5 moins d'une centaine. On hésita un peu sur leur sort: allait-on les garder comme reliques? Finalement, comme la guerre avait été vraiment trop brève, on décida de s'amuser encore un peu; on organisa un exercice de tir et on fusilla ainsi les derniers Mastres.

Intoxiqués de gloire et de bruit, les Terriens débarquèrent 10 ensuite leurs matériaux de construction, établirent les bases d'une future cité de l'espace, et se préparèrent à construire un port spatial pour l'exportation du bois vers la Terre.

Puis le soir, épuisés mais satisfaits, les conquérants s'endormirent. 15

Ils ne se réveillèrent jamais. Pas un seul des millions d'hommes couchés sur le sol de P.473 ne survécut à cette première nuit.

Les Terriens avaient conquis la planète Mauge, certes. Ils avaient facilement gagné la bataille, personne ne pouvait contester l'évidence. Ils étaient les grands vainqueurs de cette journée; ils 20 avaient tout conquis: la gloire, la vie, l'espace, un monde nouveau, au prix d'un terrible massacre.

Mais ils avaient agi en ignorant un détail, un simple détail qui avait quelque importance: la mort, sur P.473, était contagieuse.

Jacques Sternberg

7

Tel est pris qui croyait prendre

La Fontaine

Il ne faut point juger des gens sur l'apparence;
Le conseil en est bon mais il n'est point nouveau.

La Fontaine

Les Deux Pigeons

Sous l'ardent soleil de Cannes à midi, une Rolls-Royce Phantom aux chromes éblouissants s'immobilisa sur la jetée, devant un grand voilier. Sur le pont du bateau, assis dans son fauteuil-relaxe, Eric vit la portière s'ouvrir majestueusement: deux cothurnes dorés
5 effleurèrent le sol, une robe légère flotta au vent, une chevelure dorée flamboya. La jeune fille dit au chauffeur:

— Vous pouvez rentrer à Eden-Roc, Joseph!

C'est alors qu'elle aperçut le jeune homme au visage viril, aux cheveux noirs retombant jusque sur les yeux rieurs. Elle mit le pied
10 sur la passerelle et demanda:

— Est-ce ce bateau qui est à vendre?

— La "Colombe"? Pas que je sache . . . Pourquoi?

— Parce que j'ai envie d'un yacht d'un vingtaine de yards . . .

— Celui-ci est un vingt et un mètres.

15 — Il est à vous?

— Oui . . . A mon père. Permettez donc que je me présente: Eric de Kerguarrec . . . les pêcheries.

— Et moi, Patricia van der Meulen . . . le diamantaire.

Il se regardèrent comme s'ils s'étaient toujours connus, et
20 éclatèrent de rire:

— Voilà une bonne chose de faite!

— Quels projets aviez-vous pour cet après-midi? demanda-t-elle.

— Eh bien! . . . un petit parcours de golf avec quelques vieux
25 barbons, puis un cocktail assommant avec toute l'aristocratie d'ici.

— Moi, une présentation de couture et un bridge . . . Ah!
comme je préférerais à ces mondanités la vie toute simple, entre le
ciel et l'eau . . .

— A qui le dites-vous! On ferait de la pêche sous-marine, et
5 puis on mettrait à griller nos poissons dans un creux de rocher.

— Un barbecue . . . quelle merveilleuse dînette! Ce serait si
'sympa'! Une nuit, j'ai fait un rêve: je n'avais plus de millions, plus
d'actions, plus d'obligations, plus de relations, plus de Rolls, et je
me retrouvais sur une île déserte, réduite à l'état de nature, sans
10 rien . . .

— Quel spectacle charmant! dit-il.

— Hélas! pour trouver une île déserte, il faudrait aller jusqu'au
Pacifique . . .

— Pourquoi? Regardez, en face, à quelques kilomètres d'ici:
15 les îles de Lériens . . . par-delà Sainte-Marguerite, il y a, à la pointe
de Saint-Honorat, une roche déserte . . .

— Je la connais: l'île Saint-Ferréol, à deux cents mètres à
peine de la pointe; mais vous êtes sûr que ça suffira à nous isoler
des vulgaires touristes que le bateau des îles amène toutes les heures?
20 — Oui: ils ne nagent jamais jusqu'au rocher. Nous serons
là-bas loin des foules.

— Oh! Emmenez-moi tout de suite . . . dans votre beau voilier!

— Impossible, petite fille! Il faut au moins trois heures pour
mettre les voiles.

25 — Alors, nous irons cet après-midi en chriscraft, chacun dans
le nôtre, et nous nous retrouverons là-bas, disons . . . à quatre
heures.

— Ça ira très bien.

— Salut!

30 Elle s'envola. Il la regarda tendrement puis éclata de rire, et
soudain se figea: un vieux monsieur apparut sur la passerelle.

— Boy! Je vous ai interdit de recevoir des filles sur mon
bateau. Entendu?

— Excusez-moi, Commodore, mais . . .

35 — Ça va? Lavez donc ce pont au lieu de ne rien faire.

Eric se mit au travail et sourit encore en pensant à celle qu'il
allait revoir tout à l'heure.

10

Pendant ce temps-là, Patricia entrait dans un bistro du vieux Cannes, derrière le port, et après avoir compté et recompté la monnaie qui lui restait dans son petit sac, commanda un sandwich.

A quatre heures, Patricia avait retrouvé Eric sur le rocher désert. Ils avaient bien pêché et ils mangeaient maintenant leurs 5 poissons grillés.

— On dirait, Pat, que vous n'avez pas mangé depuis huit jours!

— Et vous alors!

— Mais mes poissons étaient tout petits . . . 10

— Nous avons tous les deux bon appétit.

— Combien de temps avons-nous pêché? demanda-t-il.

— Au moins trois heures: le soleil est déjà bas.

— Le temps fraîchit: il fait bon. Je n'ai jamais été aussi bien.

— Ni moi aussi heureuse. J'ai eu moins de plaisir le jour où 15 papa m'a offert mon premier vison.

— Et moi, je laisserais volontiers mon yacht pour venir vivre sur ce rocher. Si nous l'achetions?

— Le bonheur n'est peut-être pas à vendre, dit-elle avec mélancolie. 20

— C'est vrai, au fond: pourquoi se fatiguer à acheter tous les biens de la terre? La nature est à tout le monde, et l'amour, c'est gratuit . . .

Elle poussa soudain un cri:

— Le chriscraft dérive! 25

Ils plongèrent tous les deux et atteignirent vite le luxueux runabout.

— Monte à bord, Pat! s'écria-t-il, pendant qu'il essayait d'éviter que le bateau heurte un rocher. "Ça y est? . . . Bien! Maintenant, mets le contact, et passe en marche arrière!" 30

Alors, une petite voix lui répondit:

— Comment on fait? . . .

— Ce n'est pas ton bateau?

— Non, Eric! J'ai cru que c'était le tien.

— Et moi aussi. Mais alors, tu n'as jamais piloté de chris- 35 craft?

11

— Non! Et toi? . . .

— Moi, si!

Il monta prestement à bord, appuya sur un bouton, prit le volant, et le bateau bondit comme un grand oiseau par dessus les
5 vagues.

Alors Patricia vint se blottir contre Eric, et en pleurant un peu, lui fit une confession de petite fille:

— Je t'ai menti . . . Je ne m'appelle pas Van der Meulen, mais Moulin; je ne suis pas la fille d'un diamantaire, mais d'un
10 mineur; je ne suis pas une riche héritière, mais une pauvre étudiante qui cherche un job pendant les vacances et je n'ai jamais mis les pieds à Eden-Roc: quand tu m'as vue descendre de la Rolls, je venais d'être renvoyée par les Van der Meulen, précisément, et leur chauffeur avait bien voulu me reconduire jusqu'au port . . . C'est là
15 que je t'ai aperçu sur la "Colombe" . . .

— Et tu t'es dit: voilà un gentil petit pigeon, bon à plumer!

— Oui . . . Non! En réalité, je t'ai aimé presque tout de suite, dès que tu m'as proposé d'aller à la pêche . . .

— Tu es sûre que ce n'est pas à cause de mon yacht et des
20 pêcheries de papa?

— Je te le jure! Oh! comment pourras-tu me pardonner?

Il lui dit à l'oreille:

— En te faisant à mon tour une confession, pour que tu pleures, mais de rire! Figure-toi que, moi non plus, je ne suis pas
25 le fils des pêcheries, mais celui d'un simple pêcheur. Je m'appelle tout bonnement Kerguarrec, sans particule; je n'ai pas de yacht: quand tu m'a abordé — c'est le cas de le dire — je venais d'être embauché par un vieux maniaque qui se fait appeler Commodore, sur ce voilier qui ne peut même pas quitter le port. J'ajoute que je
30 suis élève à l'Ecole d'électronique et que j'ai presque mon diplôme d'ingénieur.

— Et moi, une licence de lettres. C'est pour ça qu'on m'avait engagée comme lectrice, mais il paraît que je n'ai pas fait l'affaire!

— Elle est bien bonne!

35 — Ne plaisante pas. J'ai honte de moi: quand je pense que j'ai pris le même bateau que tous les touristes pour venir jusqu'à l'île!

— Moi aussi! On aurait pu s'y rencontrer!

12

— Mais alors . . . à qui est ce chriscraft?

— Je n'en ai pas la moindre idée!

— Eric, arrête-le tout de suite: c'est comme si nous l'avions volé.

— C'est juste! Il arrêta le moteur; ils se sentirent soudain 5 isolés au milieu de l'eau, dans un mystérieux silence.

— Qu'est-ce qu'on fait du bateau?

— On essaye de retrouver son propriétaire. Peut-être qu'il se baignait quand son bateau a commencé à dériver.

— Retournons à Saint-Ferréol. 10

Il relança le moteur, et retourna vers les rochers.

Dans la nuit tombante, ils scrutèrent la crête des vagues. Un orage menaçait.

— A présent, hurla Eric, c'est moins drôle: il reste juste assez d'essence pour rentrer à Cannes. 15

— Je t'en prie, cherchons encore quelques secondes! Je compte jusqu'à dix!

A sept, il virent deux têtes qui flottaient dans les vagues, puis un bras qui faisait un geste de désespoir.

Patricia se jeta à l'eau pour aider les naufragés épuisés, tandis 20 que son compagnon manoeuvrait au plus près. Ils hissèrent enfin dans le Chriscraft deux loques humaines. La femme était épuisée. L'homme parla, haletant:

— Vous nous avez sauvé la vie et ramené notre bateau. Merci! C'est une histoire bête: nous nous baignions, quand soudain 25 le Chriscraft a dérivé avec le vent pendant que le courant nous emportait dans l'autre sens. Nous avons vu le bateau aller à la côte, tandis que nous étions emportés en pleine mer. Quand vous êtes arrivés, nous allions couler . . . Comment pourrons-nous vous manifester notre reconnaissance? Permettez que je me présente: Serge 30 Arakian.

— Enchanté, dit Eric.

La villa des Arakian était au cap d'Antibes, au milieu d'un petit parc, isolée de la route, pas trop vaste, mais intime et d'un confort raffiné: un vrai bijou. 35

13

— Nous n'aimons pas les grandes bâtisses pour milliardaires, confia Serge. J'ai eu cette modeste habitation pour une bouchée de pain: à peine un million. Mais nous passons ici deux mois de l'année bien tranquilles.

5   Sa femme, Ethel, continua avec des gestes tendres:

— Nous n'avons ici qu'une femme de chambre, et c'est son jour de sortie. Le chauffeur et la cuisinière couchent en ville, pour ne pas nous déranger. Ils seront là demain à la première heure. En attendant, nous allons improviser une dînette.

10   — Mais vous devez être très fatigués, dit Eric.

— Pensez-vous! Nous avons déjà presque récupéré. Un poulet froid en gelée, un peu de caviar et une bouteille de champagne nous feront du bien.

Le repas fut exquis, la conversation agréable, l'ambiance
15 chaude et détendue, avec une pointe d'émotion. Serge s'attendrit:

— Savez-vous que vous nous êtes infiniment sympathiques? C'est beau, la jeunesse!

Ethel poursuivant sa pensée:

— Nous aurions aimé avoir des enfants comme vous. Mal-
20 heureusement . . .

Elle était au bord des larmes. Pat voulut la consoler:

— Avec vous, dit-elle, nous avons une telle impression de bonheur, de sérénité, que c'est comme si nous retrouvions une famille. N'est-ce pas, Eric?

25   — C'est vrai.

— Eh bien! s'écria Serge, d'un ton joyeux, nous vous adoptons! Vous passerez ici vos vacances selon votre bon plaisir. Le premier étage de la villa est à vous.

— C'est un conte de fées, murmura Eric.

30   — Mais non! Songez que sans vous, ce soir, cette maison serait déserte . . . Je suis sûr que nous nous entendrons très bien; dans quelques jours, nous faisons, Ethel et moi, une petite croisière aux îles grecques. Vous serez les rois, ici; nous vous laisserons le Chriscraft et la voiture: c'est une bonne vieille "Cadillac", mais déca-
35 potable.

— Comment vous dire notre gratitude?

— Vous nous remercierez demain! Rejoignez vite vos chambres: vous devez tomber de sommeil. Bonne nuit, les enfants!

14

Ils montèrent l'escalier en se tenant par la main, la tête tournée vers leurs bienfaiteurs, qui leur disaient gentiment "bonsoir".

Le soleil était haut lorsqu'ils se réveillèrent. Ils descendirent reconnaître leur domaine, mais ne trouvèrent aucune trace de leurs bienfaiteurs.

— C'est désert, dit Eric.

Patricia sauta de joie.

— Nous sommes seuls: tout est à nous!

Sur la table du grand salon où ils avaient dîné la veille, ils trouvèrent une lettre, placée en évidence sur une grande enveloppe:

"Chers enfants. Nous avons avancé notre croisière et vous laissons la villa en garde, en nous excusant d'emmener les domestiques. Mais nous sommes sûrs que vous saurez vous débrouiller par vous-mêmes. Pour que vous puissiez y vivre confortablement, nous vous laissons une petite provision d'argent. C'est peu de chose pour nous, qui vous devons la vie. Bonne chance! Ethel et Serge."

Dans l'enveloppe, il y avait deux liasses de dix billets de 500 francs.

— Dix mille, Eric! C'est trop beau pour être vrai.

— Oui, Pat. C'est trop beau. Remettons ces deux liasses dans l'enveloppe, et inspectons vite les lieux avant de déguerpir.

— Que veux-tu dire?

— Que tout ça est un peu bizarre, que les gens riches ne se promènent pas avec tant d'argent liquide dans les poches, que dans le garage la "Cadillac" n'est qu'une bonne vieille voiture de louage, et que cette villa est probablement aussi louée.

— Ils étaient si gentils! Pourquoi auraient-ils fait ça?

— Pour attirer l'attention de la police sur nous quand nous dépenserions cet argent volé. Ça leur faisait gagner du temps, pendant qu'ils prenaient le large.

— Quel dommage! Nous qui allions vivre ici pour le reste de nos vacances . . .

— Eh bien! Nous avons failli nous faire pigeonner!

Ils portèrent leurs liasses au commissariat de police central et racontèrent leur histoire à l'inspecteur de service, qui lisait justement, dans le journal du matin, un article à gros titre sur les derniers

15

exploits des "Ecumeurs de la Côte" — un couple spécialisé dans le cambriolage des chambres d'hôtels et des villas vides.

La police fit vérifier leurs déclarations et on ne les garda à vue que quarante-huit heures. En les libérant, le commissaire leur
5 fit paternellement la morale:

— Allez, et ne recommencez plus. Vous vous méfierez désormais des relations de vacances . . . Il ne faut pas se lier comme ça avec n'importe qui, on risque de gros ennuis. Enfin, tout est bien qui finit bien: pour cette fois, on vous pardonne . . . On va même
10 jusqu'à vous gâter: la dernière victime de vos "amis", le propriétaire de l'argent que vous avez récupéré, vous offre une prime. Voilà mille francs . . .

Ils partirent en riant comme des fous, avec, en poche, de quoi finir leurs vacances à Paris . . .

15 Avant de reprendre le train, ils retournèrent sur le port. La "Colombe" était toujours là, avec ses deux grands mâts sans voilure. Eric récupéra quelques vêtements qu'il avait laissés à bord. Quand il remonta sur le quai, Patricia lui dit:

— Alors, le Commodore t'a payé?
20 — Non. Il est fauché. Le pauvre vieux m'a avoué qu'il vit d'une petite pension de la marine . . .

— Sur ce yacht?

— Oui: comme gardien!

Jean Nocher

16

The best way to get rid of temptation is to yield to it.

Oscar Wilde

Boire un petit coup c'est agréable
Mais il ne faut pas rouler dessous la table.

Chanson populaire

L'Elixir du Révérend Père Gaucher

Il y a vingt ans, les Pères blancs du cloître des Prémontrés étaient tombés dans une grande misère.

Le grand mur et la tour du monastère s'en allaient en morceaux. Tout autour du cloître rempli d'herbes, les colonnettes et les statues de saints en pierre croulaient. Mais le plus triste de tout, 5 c'était le clocher du couvent, silencieux car les Pères étaient sans argent pour s'acheter une cloche. Pauvres Pères blancs! Pâles, maigres et mal nourris, ils portaient tous des capes rapiécées et ils commençaient à se demander s'ils ne feraient pas mieux d'abandonner le couvent et de partir chacun de son côté. 10

Or, un jour que cette grave question se débattait dans le chapitre, on vint annoncer au supérieur que le frère Gaucher demandait à être entendu par les Révérends. Ce frère Gaucher était le bouvier du couvent; c'est-à-dire qu'il passait ses journées à pousser devant lui deux vaches squelettiques qui cherchaient l'herbe 15 entre les pierres du chemin. Elevé jusqu'à douze ans par une vieille folle qu'on appelait tante Bégon, adopté ensuite par les moines, le pauvre bouvier n'avait jamais pu rien apprendre qu'à garder ses vaches, car il avait la tête dure et l'esprit un peu simple.

— Mes Révérends, dit-il, figurez-vous qu'en vidant ma pauvre 20 tête déjà si vide, je crois que j'ai trouvé le moyen de résoudre nos difficultés. Voici comment. Vous connaissez bien tante Bégon, cette bonne femme qui me gardait quand j'étais petit. Eh bien elle connaissait les herbes des montagnes et elle avait composé, vers la fin de ses jours, un élixir incomparable en mélangeant cinq ou six 25 espèces d'herbes que nous allions cueillir ensemble. Il y a long-

17

temps de cela; mais je pense qu'avec l'aide de saint Augustin et la permission de notre Père supérieur, je pourrais — en cherchant bien — retrouver la composition de ce mystérieux élixir. Nous le mettrions en bouteilles, et le vendrions un peu'cher, ce qui permettrait à notre communauté de s'enrichir tranquillement, comme ont 5 fait nos frères des monastères de la Trappe et de la Grande . . ."

Il n'eut pas le temps de finir. Le supérieur s'était levé pour l'embrasser. On lui serrait les mains. Puis on délibéra. Le chapitre décida qu'on passerait les vaches au frère Thrasybule, pour laisser le frère Gaucher se donner entièrement à la fabrication de son 10 élixir.

Au bout de six mois, l'élixir des Pères blancs était déjà très populaire, et, grâce à la vogue de son élixir, le cloître des Prémontrés s'enrichit très rapidement. On restaura la tour; on installa dans le clocher toute une compagnie de cloches et de clochettes. 15

Le frère Gaucher, ce pauvre frère un peu simple, était maintenant le Révérend Père Gaucher, homme respecté de tous, qui s'enfermait tout le jour dans sa distillerie, pendant que trente moines cherchaient dans la montagne les herbes odorantes dont il avait besoin. Cette distillerie, où personne n'avait le droit d'entrer, était 20 une ancienne chapelle abandonnée, tout au bout du jardin.

A la fin de la journée, la porte de ce lieu mystérieux s'ouvrait discrètement, et le Révérend Père Gaucher se rendait à l'église pour l'office du soir. Quand il traversait le monastère les frères le saluaient avec respect. On disait: 25

— Chut! . . . il a le secret de l'élixir!

Au milieu de cette admiration, le Père s'en allait en s'essuyant le front, regardant autour de lui d'un air satisfait le cloître prospère, les moines habillés de neuf, et il se disait:

— C'est à moi qu'ils doivent tout cela! Et chaque fois cette 30 pensée le remplissait d'orgueil.

Le pauvre homme en fut bien puni.

Un soir, pendant l'office, il arriva à l'église dans une agitation extraordinaire: rouge, essoufflé et tout troublé. On crut d'abord

19

que c'était l'émotion d'arriver en retard à l'office; mais quand on le vit saluer l'orgue et les bancs au lieu de saluer le maître-autel, traverser l'église en courant, errer dans le choeur pendant cinq minutes pour chercher sa place, puis, une fois assis, tourner la tête
5 de droite à gauche en souriant béatement, un murmure d'étonnement courut dans l'église. On chuchotait:

— Qu'a donc notre Père Gaucher? . . . Qu'a donc notre père Gaucher?

Deux fois le Père supérieur commanda le silence.

10 Tout à coup, au beau milieu de "l'Ave verum", le Père Gaucher se mit à chanter d'une voix éclatante:

"Dans Paris, il y a un Père Blanc,
Patatin, patatan, tarabin, taraban . . ."

Consternation générale. Tout le monde se leva. On cria:

15 — Emportez-le; il est possédé du démon.

Mais le Père Gaucher ne voyait rien, n'écoutait rien; et deux frères vigoureux furent obligés de l'emporter, se débattant comme un possédé et continuant plus fort que jamais ses "patatin" et ses "taraban".

20 Le lendemain matin, le pauvre Père Gaucher à genoux dans la chapelle du supérieur faisait sa pénitence en pleurant:

— C'est l'élixir, Monseigneur, c'est l'élixir qui m'a surpris, disait-il en se frappant la poitrine.

Et, de voir le pauvre Père si repentant, le bon supérieur en
25 était tout troublé lui-même.

— Allons, allons, Père Gaucher, calmez-vous. Après tout, le scandale n'a pas été aussi grand que vous pensez. Bien sûr, votre chanson était un peu . . . hum! hum! . . . A présent, voyons, dites-moi bien comment la chose vous est arrivée. C'est en essayant
30 l'élixir, n'est-ce-pas? Oui, oui, je comprends: vous avez été victime de votre invention. Et dites-moi, mon brave ami, est-il bien nécessaire que vous l'essayiez sur vous-même, ce terrible élixir?

— Malheureusement, oui, Monseigneur, pour en apprécier le fini, le velouté, il faut que je le goûte.

35 — Ah! très bien. Mais écoutez encore un peu que je vous dis. Quand vous goûtez ainsi l'élixir par nécessité, est-ce que cela vous semble bon? Y prenez-vous du plaisir?

20

—Hélas! oui, Monseigneur, fit le malheureux Père en devenant tout rouge. Depuis deux soirs je lui trouve un bouquet, un arôme exceptionnel: c'est pour sûr le démon qui m'a joué ce mauvais tour. Aussi je suis bien décidé maintenant à ne plus le goûter. Tant pis si la liqueur n'est pas assez fine.

— Voyons, voyons, interrompit le supérieur avec vivacité. Il ne faut pas s'exposer à mécontenter la clientèle. Tout ce que vous avez à faire maintenant, c'est de rester sur vos gardes. Voyons, quelle quantité d'élixir faut-il pour bien goûter? Quinze ou vingt gouttes, n'est-ce pas? . . . mettons vingt gouttes . . . Le démon ne pourra pas vous attraper avec vingt gouttes. Et pour éviter tout accident, je vous donne la permission de manquer l'église. Vous direz l'office du soir dans la distillerie. Et maintenant, allez en paix, mon Révérend, et surtout comptez bien vos gouttes.

Hélas! le pauvre Révérend compta en vain ses gouttes . . . le démon le tenait, et posséda pour de bon le Père Gaucher.

Le jour, tout allait assez bien. Le Père était calme: il préparait ses réchauds, ses alambics, et triait soigneusement ses herbes. Mais, le soir, quand l'élixir était prêt et tiédissait dans de grandes bassines de cuivre rouge, le martyre du pauvre homme commençait. Ils comptaient ses gouttes:

— . . . Dis-sept . . . dix-huit . . . dix-neuf . . . vingt! . . .

Il les versait dans un gobelet. Ces vingt gouttes-là, le Père les avalait d'un trait, presque sans plaisir. C'était seulement la vingt et unième qui le tentait. Oh! cette vingt et unième goutte! Alors, pour éviter la tentation, il allait s'agenouiller tout au bout du laboratoire et priait. Mais l'arôme de la liqueur chaude le suivait jusque-là et il retournait malgré lui vers les bassines . . . La liqueur avait une belle couleur verte. Penché dessus, les narines ouvertes, le père la remuait tout doucement avec sa cuiller en bois. Une petite voix lui disait:

— Allons! encore une goutte!

Et de goutte en goutte, l'infortuné finissait par avoir son gobelet plein jusqu'au bord. Il se laissait tomber dans un grand fauteuil et buvait lentement la liqueur, en se disant avec remords:

21

— Ah! je me damne . . . je me damne . . .

Le plus terrible, c'est qu'après avoir bu l'élixir diabolique, il ne pouvait résister au désir de chanter toutes les horribles chansons de tante Bégon.

5 Et, le lendemain, ses voisins de cellule lui disaient:

— Eh! eh! Père Gaucher, vous étiez de bonne humeur, hier soir, en vous couchant.

Alors il pleurait, se désespérait, et cessait de manger pour se punir. Il ne pouvait rien contre le démon de l'élixir; et tous les soirs,
10 à la même heure, il recommençait.

Pendant ce temps, les commandes d'élixir augmentaient et les affaires du cloître prospéraient. De jour en jour le couvent prenait un petit air de manufacture. Il y avait des frères emballeurs, des frères étiqueteurs, d'autres pour la correspondance, d'autres pour
15 le transport, et les pauvres gens du pays profitaient tous de cette prospérité.

Mais, un dimanche matin, le Père Gaucher arriva soudain au milieu de la conférence du chapitre en criant:

— C'est fini . . . Je n'en fais plus . . . Rendez-moi mes vaches.
20 — Qu'est-ce qu'il y a donc, Père Gaucher? demanda le supérieur, qui savait bien probablement ce qu'il y avait.

— Ce qu'il y a, Monseigneur? Il y a que je suis en train de préparer ma damnation . . . Il y a que je bois, que je bois comme un misérable . . .
25 — Mais je vous avais dit de compter vos gouttes.

— Ah! bien oui, compter mes gouttes! c'est par gobelets que je compte maintenant. Oui, mes Révérends, j'en suis là. Vous comprenez bien que cela ne peut pas durer. Aussi, faites faire l'élixir par qui vous voudrez.
30 Les Révérends ne riaient plus.

— Mais, vous allez ruiner le cloître! criait-on.

Le supérieur se leva.

— Mes Révérends, dit-il nous allons tout arranger. C'est le soir, n'est-ce pas, mon cher fils, que le démon vous tente?
35 — Oui, Monseigneur, régulièrement tous les soirs.

— Eh bien! rassurez-vous. Désormais, tous les soirs, à l'office, nous réciterons à votre intention la prière de saint Augustin. Cela vous assurera le pardon pendant le péché.

— Oh! bien! alors, merci, Monseigneur!

Et, sans plus attendre, le Père Gaucher retourna à son laboratoire.

Effectivement, après ce jour-là, à l'office du soir, on ne manquait jamais de dire:

— Prions pour notre pauvre Père Gaucher, qui sacrifie son âme aux intérêts de la communauté . . . Oremus Domine . . .

Et pendant ce temps, au bout du jardin, dans la distillerie pleine de l'arôme grisant de l'élixir, on entendait le Père Gaucher qui chantait à pleine voix:

"Dans Paris il y a un Père blanc,
  Patatin, patatan, tarabin, taraban . . ."

Alphonse Daudet

Les gens méchants sont buveurs d'eau
C'est bien prouvé par le déluge.

Comte de Ségur

23

*Chaque fois que l'on se crée un nouveau lien, c'est une
douleur de plus qu'on s'enfonce, comme un clou, dans le
coeur.*

Adage brahmanique

Le Petit Prince et le renard

Couché dans l'herbe, le petit prince pleurait. C'est alors qu'apparut
le renard:

— Bonjour, dit le renard.

— Bonjour, répondit poliment le petit prince, qui se retourna
5 mais ne vit rien.

— Je suis là, dit la voix, sous le pommier . . .

— Qui es-tu? dit le petit prince. Tu es bien joli . . .

— Je suis un renard, dit le renard.

— Viens jouer avec moi, lui proposa le petit prince. Je suis si
10 triste . . .

— Je ne puis pas jouer avec toi, dit le renard. Je ne suis pas
apprivoisé.

— Ah! pardon, fit le petit prince.

Mais, après réflexion, il ajouta:

15   — Qu'est-ce que signifie "apprivoiser"?

— Tu n'es pas d'ici, dit le renard, que cherches-tu?

— Je cherche les hommes, dit le petit prince. Qu'est-ce que
signifie "apprivoiser"?

— Les hommes, dit le renard, ils ont des fusils et ils chassent.
20 C'est bien gênant! Ils élèvent aussi des poules. C'est leur seul intérêt.
Tu cherches des poules?

— Non, dit le petit prince. Je cherche des amis. Qu'est-ce
que signifie "apprivoiser"?

— C'est une chose trop oubliée, dit le renard. Ça signifie
25 "créer des liens . . ."

— Créer des liens?

— Bien sûr, dit le renard. Tu n'es encore pour moi qu'un
petit garçon tout semblable à cent mille petits garçons. Et je n'ai
pas besoin de toi. Et tu n'as pas besoin de moi non plus. Je ne suis

pour toi qu'un renard semblable à cent mille renards. Mais, si tu m'apprivoises, nous aurons besoin l'un de l'autre. Tu seras pour moi unique au monde. Je serai pour toi unique au monde . . .

— Je commence à comprendre, dit le petit prince. Il y a une fleur . . . je crois qu'elle m'a apprivoisé . . . 5

— C'est possible, dit le renard. On voit sur la Terre toutes sortes de choses . . .

— Oh! ce n'est pas sur la Terre, dit le petit prince.

Le renard parut très étonné:

— Sur une autre planète? 10

— Oui.

— Il y a des chasseurs sur cette planète-là?

— Non.

— Ça, c'est intéressant! Et des poules?

— Non. 15

— Rien n'est parfait, soupira le renard.

Mais le renard revint à son idée:

— Ma vie est monotone. Je chasse les poules, les hommes me chassent. Toutes les poules se ressemblent, et tous les hommes se ressemblent. Je m'ennuie donc un peu. Mais, si tu m'apprivoises, 20 ma vie sera comme ensoleillée. Je connaîtrai un bruit de pas qui sera différent de tous les autres. Les autres pas me font rentrer sous terre. Ton pas me fera sortir de terre, comme une musique. Et puis regarde! Tu vois, là-bas, les champs de blé? Je ne mange pas de pain. Le blé pour moi est inutile. Les champs de blé ne me rappel- 25 lent rien. Et ça, c'est triste! Mais tu as des cheveux couleur d'or. Alors ce sera merveilleux quand tu m'auras apprivoisé! Le blé, qui est doré, me fera souvenir de toi. Et j'aimerai le bruit du vent dans le blé . . .

Le renard se tut et regarda longtemps le petit prince: 30

— S'il te plaît . . . apprivoise-moi, dit-il!

— Je veux bien, répondit le petit prince, mais je n'ai pas beaucoup de temps, j'ai des amis à découvrir et beaucoup de choses à connaître.

— On ne connaît que les choses que l'on apprivoise, dit le 35 renard. Les hommes n'ont plus le temps de rien connaître. Ils achè- tent des choses toutes faites chez les marchands. Mais comme il n'existe point de marchands d'amis, les hommes n'ont plus d'amis. Si tu veux un ami, apprivoise-moi!

— Que faut-il faire? dit le petit prince.

— Il faut être très patient, répondit le renard. Tu t'assoiras
5 d'abord un peu loin de moi, comme ça, dans l'herbe. Je te regarderai du coin de l'oeil et tu ne diras rien. Le langage est source de malentendus. Mais, chaque jour, tu pourras t'asseoir un peu plus près . . .

Le lendemain le petit prince revint.

10 — Il aurait mieux valu revenir à la même heure, dit le renard. Si tu viens, par exemple, à quatre heures de l'après-midi, dès trois heures je commencerai à être heureux. Plus l'heure avancera, plus je me sentirai heureux. A quatre heures, déjà, je m'agiterai et m'inquiéterai; je découvrirai le prix du bonheur! Mais si tu viens
15 n'importe quand, je ne saurai jamais à quelle heure m'habiller le coeur . . . Il faut des rites.

— Qu'est-ce qu'un rite? dit le petit prince.

— C'est aussi quelque chose de trop oublié, dit le renard. C'est ce qui fait qu'un jour est différent des autres jours, une heure,
20 des autres heures. Il y a un rite, par exemple, chez mes chasseurs. Ils dansent le jeudi avec les filles du village. Alors le jeudi est un jour merveilleux! Je peux me promener sans danger jusqu'à la vigne. Si les chasseurs dansaient n'importe quand, les jours se ressembleraient tous, et je n'aurais point de vacances.

25 Ainsi le petit prince apprivoisa le renard. Et quand l'heure du départ fut proche:

— Ah! dit le renard . . . Je pleurerai.

— C'est ta faute, dit le petit prince, je ne te souhaitais point de mal, mais tu as voulu que je t'apprivoise . . .

30 — Bien sûr, dit le renard.

— Mais tu vas pleurer! dit le petit prince.

— Bien sûr, dit le renard.

— Alors tu n'y gagnes rien!

— J'y gagne, dit le renard, à cause de la couleur du blé.

Antoine de Saint-Exupéry

26

La jeune Veuve

La perte d'un époux na va pas sans soupirs;
On fait beaucoup de bruit; et puis on se console:
Sur les ailes du Temps la tristesse s'envole,
    Le Temps ramène les plaisirs.
    Entre la veuve d'une année   5
    Et la veuve d'une journée
La différence est grande; on ne croirait jamais
    Que ce fût la même personne:
L'une fait fuir les gens, et l'autre a mille attraits.
Aux soupirs vrais ou faux celle-là s'abandonne;   10
C'est toujours même note et pareil entretien;
    On dit qu'on est inconsolable;
    On le dit, mais il n'en est rien,
    Comme on verra par cette fable,
    Ou plutôt par la vérité.   15

    L'époux d'une jeune beauté
Partait pour l'autre monde. A ses côtés, sa femme
Lui criait: «Attends-moi, je te suis; et mon âme,   20
Aussi bien que la tienne, est prête à s'envoler.»
    Le mari seul fait le voyage.
La belle avait un père, homme prudent et sage;
    Il laissa le torrent couler.
    A la fin, pour la consoler: 25
«Ma fille, lui dit-il, c'est trop verser de larmes:
Qu'a besoin le défunt que vous noyiez vos charmes?
Puisqu'il est des vivants, ne songez plus aux morts,
Mais après certain temps, souffrez qu'on vous propose
Un époux beau, bien fait, jeune et tout autre chose   30
    Que le défunt. — Ah! dit-elle aussitôt,
    Un cloître est l'époux qu'il me faut.»
    Le père lui laissa digérer sa disgrâce.
    Un mois de la sorte se passe;

L'autre mois, on l'emploie à changer tous les jours
Quelque chose à l'habit, au linge, à la coiffure:
     La deuil enfin sert de parure.
Le père ne craint plus ce défunt tant chéri;
5 Mais comme il ne parlait de rien à notre belle:
     «Où donc est le jeune mari
      Que vous m'avez promis?» dit-elle?

Jean de la Fontaine

28

En Italie, il y a trois façons de se ruiner: le jeu, les femmes ou l'agriculture. Mon père avait choisi la moins agréable ...

Jean XXIII, pape

L'argent est un bon serviteur et un mauvais maître.

proverbe

Celui qui s'abandonne à sa passion expie par l'anxiété son bonheur réel ou imaginaire.

anonyme

Haut les Mains!

Le déjeuner se terminait en silence, comme d'habitude: Philippe et son frère Lucien Beaulé, deux célibataires de quarante ans, ne se parlaient pas à table. Ils attendaient sans rien dire que la vieille mère Beaulé serve le bifteck, puis le dessert.

Après le dessert Philippe regarda sa montre et se leva 5 brusquement.

— Philippe ... implora alors Lucien.

Philippe regarda froidement ce frère dévergondé, gaspilleur et sans emploi.

— Philippe ... Il me faut absolument cinq cents dollars. 10 Oui, j'ai perdu aux cartes. A deux heures, je dois payer, sans faute, ou je suis perdu.

Philippe lui répondit avec mépris:

— Je ne prête pas d'argent à un gaspilleur. Fais comme moi, ne joue pas! 15

Il prit son chapeau, le posa soigneusement sur sa tête et se dirigea vers la sortie. Soudain il revint sur ses pas et entra vivement dans sa chambre. Il en referma rapidement la porte et, à genoux sur le plancher, tira de sous son lit un solide coffre de chêne fermé à clé. Il l'ouvrit avec respect et contempla en souriant ses liasses 20 de billets verts, tout neufs, attachés par des élastiques, comme à la banque. Philippe Beaulé était un homme d'ordre: son vêtement, ses gestes, ses habitudes, ses dollars le montraient bien. Il avait là huit

mille dollars! Toute une vie de sacrifices! Il ferma le coffre et le repoussa sous le lit. Il fermait la porte de sa chambre quand il aperçut l'oeil hagard de son frère qui le fixait. Inquiet, Philippe sortit. Il hésita quelques instants puis il traversa la rue et entra
5 chez un quincaillier où il acheta un solide cadenas à combinaison exclusive. Il retourna vers la maison où il arriva face à face avec sa mère qui allait passer l'après-midi chez une cousine. Suppliante, elle posa sa vieille main sur le bras sec de l'avare:

— Philippe . . . Prête-lui l'argent . . . Il est si malheureux; il
10 pourrait se tuer.

— Qu'il se tue! Il n'avait qu'a travailler, économiser, comme moi, au lieu de faire cette vie de voyou. Bon après-midi, maman.

"Qu'il se tue!" Philippe frissonna. Lucien était trop lâche, il le volerait plutôt. L'avare entra dans la maison. Lucien était
15 toujours assis à la même place, l'oeil fixé sur la chambre de son frère. L'avare installa le cadenas sur la porte, et jeta un regard furtif vers Lucien, mais celui-ci ne bougeait pas, ne s'indignait pas. Enfin Philippe, rassuré, put aller à son travail.

Rien ne comptait dans son existence, excepté le coffre de
20 chêne. Il laissait à d'autres les plaisirs de la jeunesse, l'ambition d'une carrière, l'amour, le mariage. A dix-neuf ans il était devenu garçon d'ascenseur et l'était resté. Les années passaient: il avait retiré son argent de la banque et son seul plaisir était de voir grossir chaque jour, chaque semaine, chaque mois, le montant de
25 ses économies. Toute son existence était gouvernée par son avarice.

En arrivant dans le quartier des affaires, l'avare se mit à siffler, gaiement. Il aimait toutes ces banques, ces maisons de commerce pleines d'argent. Il entra dans sa cage d'ascenseur comme dans un nid. Les habitués de l'édifice se moquaient souvent de lui. Philippe
30 souriait humblement, en silence. Il gardait son énergie, sa férocité, pour défendre son trésor, à la maison. A deux heures il reçut son enveloppe de paie. Il l'ouvrit aussitôt, compta et recompta les dollars et les sous, puis, ne voyant pas venir de client, il abandonna l'ascenseur et courut à la banque voisine.

35 — Tiens, Philippe, je t'attendais, dit Victor, le caissier, en l'apercevant. Tes dollars neufs sont prêts.

A la banque, on connaissait bien Philippe. Depuis des années, chaque vendredi, il venait échanger ses vieux dollars pour des neufs. Leur vert était si pur qu'aux yeux de Philippe il illuminait toute sa chambre quand il ouvrait le coffre. Il remercia, prit les billets et se dirigea vers la sortie. Tous les caissiers, amusés, le suivaient des yeux. Victor cria:

— Philippe! Pourquoi ne déposes-tu pas ta fortune à la 5 banque? Au moins, tu recevrais de l'intérêt.

Philippe ne se retourna pas et rejoignit son ascenseur. Mais quelque chose le préoccupait: il perdait de l'intérêt. Pourtant que serait sa vie sans le coffre de chêne qu'il ouvrait avec adoration chaque soir? A cinq heures, il quitta son travail. En arrivant dans 10 son quartier, il s'arrêta soudain. Il entendait les sirènes de pompiers. L'avare serra les poings et l'angoisse marqua son visage. Chaque fois qu'il entendait les pompiers dans le voisinage, il imaginait que la maison était en flammes, que le feu consumait son coffre. Mais comme ce n'étaient jamais ni la maison ni le coffre 15 qui brûlaient, Philippe retrouvait toujours son trésor avec un amour décuplé.

Cette fois, le feu semblait important et très près de la maison. Les flammes montaient haut dans le ciel et tout le monde courait dans cette direction. Jamais l'avare n'avait éprouvé une telle 20 angoisse, jamais la rage de retrouver son coffre ne l'avait pris aussi férocement.

Au coin de sa rue il poussa un cri. La maison brûlait!

Philippe se mit à trembler. Les voitures rouges des pompiers dansaient dans ses yeux. Les mains tendues, la bouche ouverte, les 25 yeux fous, il courut, bouscula deux pompiers, mais fut empêché à temps de se jeter dans le brasier. Il écumait, essayait de crier mais aucun son ne sortait de sa bouche. Les pompiers le questionnaient: y avait-il un enfant dans la maison? La maison s'écroula alors dans un orage d'étincelles. Tout était fini. Un homme s'approcha de 30 Philippe. C'était Victor, le caissier, qui demeurait dans la rue voisine. Il le soutenait et voulait l'emmener, mais Philippe résistait encore.

Tout avait brûlé. Les passants curieux, satisfaits, retournaient chez eux. Les pompiers partaient. Philippe et le caissier restaient 35 seuls devant les ruines. Philippe, comme un vieillard, fit quelques pas pénibles vers les débris fumants, suivi de Victor. Un cadenas noirci était étendu dans un coussin de cendres, à l'endroit de la chambre de Philippe. Il le contempla un instant, puis retourna vers la rue, toujours soutenu par Victor. Celui-ci dit:

— Philippe . . . Ton argent était . . . là? N'est-ce pas?

Philippe ne répondit pas.

5   — Pauvre Philippe, soupira Victor. Viens donc chez nous. Tu passeras la nuit. Quand tu seras un peu reposé, tu sauras mieux quoi faire.

Il l'entraîna à la maison, ne le fit pas manger — c'était inutile — , le déshabilla comme il eût fait d'un mannequin, et le mit au 10 lit. Philippe regarda le plafond, fixement, toute la nuit. Trente ans de vie venaient de brûler avec la maison. Philippe était un avare qui n'avait plus rien.

Le lendemain, il alla à son travail à la même heure que d'habitude, monta et redescendit dans son ascenseur. Sa mère vint 15 le voir. Il leur fallait chercher une chambre où loger. Quant à Lucien, qui découchait si souvent, il s'arrangerait. Victor, le caissier, leur trouva la chambre.

Philippe ne parlait pas de son désespoir. Il ne marchait pas plus vite, mangeait aux mêmes heures, lisait toujours le journal à 20 midi et conduisait aussi calmement l'ascenseur.

A ses moments libres il courait toujours à la banque. Il s'installait, immobile, le coude sur le comptoir de marbre et, les yeux fixes, contemplait l'argent des autres que le caissier Victor empilait dans son tiroir. Victor avait raconté aux employés le malheur de 25 l'avare, et on lui laissait l'innocent privilège de s'installer près de la cage du caissier, puisque c'était le seul remède capable de faire briller un peu de vie dans ses yeux. Puis, timidement, le quatrième jour, Philippe offrit à Victor de l'aider à mettre en liasses les billets de la journée. Les règlements de la banque ne le permettaient pas, 30 mais le gérant et les caissiers connaissaient Philippe depuis si longtemps qu'on le laissa faire. Il s'acquitta de ce travail mieux que n'importe quel caissier et sembla reprendre vie. Une semaine après la perte du coffre, Victor, qui depuis l'arrivée de l'avare semblait préoccupé et hésitait à lui apprendre une nouvelle importante, dit 35 enfin:

— Philippe . . . Dis donc, ton frère Lucien . . . Il a beaucoup moins de respect que toi pour l'argent.

Victor observait l'avare. Celui-ci ne réagissait pas. Il comptait une liasse. Victor hésita encore un peu, puis continua:

— Je te dis ça, parce que ton frère a perdu trois mille dollars, hier, aux cartes.

L'avare laissa tomber la liasse qu'il comptait. La bouche 5 ouverte, il regardait fixement Victor. Ses lèvres rougirent, ses yeux semblèrent brûler.

Il sortit de la banque en courant, comme un fou furieux. Victor, inquiet, consulta les employés. On émit des hypothèses, des craintes, puis, finalement, chacun reprit son travail. 10

Philippe marchait vite. Les gens sur le trottoir se rangeaient pour le laisser passer et le suivaient des yeux. Cet homme allait tuer quelqu'un. Philippe connaissait l'adresse d'un armurier. Celui-ci hésita à lui vendre le revolver, mais le profit, c'est le profit. Le commerce n'irait pas si on ne vendait des armes qu'à ceux qui ont 15 l'air bon.

L'avare avait oublié son ascenseur. Il connaissait la maison de jeu fréquentée par son frère. Le tenancier, inquiet devant ce petit homme aux yeux fous, essaya de lui refuser l'entrée. Philippe le repoussa violemment, marcha vers la chambre du fond, d'où 20 arrivaient des éclats de voix, et aperçut son frère qui poussait vers un autre joueur les derniers billets qu'il venait de perdre. Lucien se leva de table comme un homme ivre. Puis il aperçut Philippe et recula avec terreur. Philippe le prit par le bras et l'entraîna dans un coin. Lucien se mit à trembler. Philippe sortit lentement le 25 revolver de sa poche et dit:

— Je te donne jusqu'à demain soir à six heures pour me remettre tout mon argent. Huit mille dollars. Ou je te tuerai. Bonne chance!

Le voleur levait des yeux suppliants sur son frère: 30

— Si tu avais eu plus de charité, si tu m'avais prêté les cinq cents dollars, je n'aurais pas forcé ta porte, vidé le coffre et mis le feu à la maison.

Mais Philippe ne l'écouta pas; il remit le revolver dans sa poche et sortit. Lucien se laissa tomber sur un vieux banc, prêt à 35 pleurer. Philippe le tuerait. Impossible de lui échapper. L'avare le retrouverait au bout du monde.

Philippe, comme s'il espérait par le meurtre rentrer en possession de son trésor, sentait la tension de tout son être se transformer en un calme merveilleux. Il retourna tranquillement à son ascenseur. Il était si heureux de découvrir soudain qu'un homme, un frère, et non le feu, l'insaisissable, était responsable de son malheur! Lucien remettrait l'argent demain soir, ou il mourrait. 5

Philippe soupa, dormit bien et retourna au travail le lendemain. Le revolver était dans sa poche. Le matin, il alla à la banque, ne dit rien à Victor qui essaya de le questionner sur son brusque départ. Il montra un calme si désarmant que Victor se demanda si 10 Philippe n'avait pas perdu la raison. L'après-midi, l'avare revint à la banque à l'heure habituelle, entra dans la cage du caissier Victor, et se mit au travail, séparant les billets, les comptant avec une rapidité étonnante. Les liasses étaient devant lui, presque à la hauteur de ses yeux exaltés. 15

— Haut les mains! Donnez l'argent!

Un bandit masqué pointait une arme sur Victor. Tous les employés, stupéfaits, avaient levé les mains. Victor, hypnotisé par le trou noir du revolver, fit le geste de pousser les liasses vers l'ouverture de la grille. D'un geste sauvage, Philippe l'en empêcha. 20 Les mains de l'avare recouvrirent les liasses bien-aimées. Ce n'était pas l'argent des autres qu'instinctivement il défendait, c'était le souvenir brûlant de son trésor perdu. Le bandit tira deux coups en l'air. Philippe eut le temps de saisir son revolver et de faire feu. Le bandit tomba à terre. Philippe déposa son revolver fumant sur les 25 billets et se joignit aux employés qui entouraient le corps étendu. Froidement, Philippe se pencha, arrachant le mouchoir qui servait de masque au voleur, et lâcha un cri de frustration en voyant le visage du bandit:

— Lucien! 30

L'agonisant ouvrit les yeux. Incapable de trouver les huit mille dollars, brisé, il avait tourné en rond dans la ville jusqu'au moment où l'idée lui était venue de voler la banque.

Il eut presque un sourire:

— Philippe . . . C'est fini. Je ne pourrai jamais te rembourser. 35

Roger Lemelin

35

De toute façon mariez-vous; si vous avez une bonne épouse,
vous serez heureux; si vous en avez une mauvaise, vous
deviendrez philosophe . . .

Socrate

Les chaînes du mariage sont si lourdes qu'il faut être deux
pour les porter; quelquefois trois . . .

Alexandre Dumas

Le Bureau des Mariages

La porte de l'agence était ouverte, mais Louise hésitait encore, n'osait entrer. Elle continua pendant quelques instants à examiner les annonces matrimoniales exposées en devanture, puis finit par se décider.

5   L'employé s'approcha d'elle:

— Mademoiselle, c'est pour une annonce matrimoniale?

— Oui, Monsieur.

— Votre annonce paraîtra dans toutes nos agences de Paris sous le numéro . . . le numéro 4326. L'affichage dure trente jours 10 et coûte vingt-cinq francs. Un supplément de quinze francs est demandé aux personnes qui désirent recevoir leur courrier à l'agence pour une durée de trois mois. Avez-vous une carte d'identité? . . . Bon . . . Désirez-vous prendre un pseudonyme? "Martine," ça vous va? . . . Maintenant, dictez-moi votre annonce, s'il vous plaît.

15   Louise lut le modèle qu'elle avait préparé: "Demoiselle, trentaine, catholique, employée dans administration, désire connaître, en vue mariage, Monsieur d'âge et situation en rapport. Si pas sérieux, s'abstenir." Puis elle paya, mit le reçu au fond de son sac et retourna en courant chez elle.

20   Louise, à trente-sept ans, vivait seule avec son frère Robert depuis la mort de leurs parents. Robert venait d'avoir trente-neuf ans. Il aimait les cols amidonnés, les attitudes rigides, et craignait de ne jamais paraître assez sérieux, assez grave. Trop solennel pour être grincheux, Robert était le type même de ces gens qui savent 25 garder leurs distances en les allongeant de telle sorte que leurs

36

intimes éprouvent auprès d'eux la sensation d'être des absents. Pas méchant, bien sûr, mais un peu trop discret, honnête et ponctuel; bref, avec toutes les qualités complémentaires de ses défauts. Louise avait toujours eu pour ce garçon l'estime raisonnable que l'on doit avoir pour le curé de sa paroisse, pour les grands principes, pour 5 les meilleures marques de savon. Elle l'aimait bien.

— Pourquoi diable arrives-tu si tard? A quelle heure vas-tu nous faire dîner ce soir? ronchonna-t-il quand elle rentra.

La question gêna Louise: ils n'avaient point tous deux l'habitude de se rendre des comptes et elle ne voulait pas parler de son 10 inscription sur les listes d'une agence matrimoniale. Cependant, Robert avait toujours exigé de la politesse dans la conversation.

— Je me suis attardée dans un magasin, répondit-elle.

La glace de la cheminée lui renvoya son image et, tandis qu'elle mettait la table, elle s'observa sans pitié. Ses cheveux filasse 15 donnaient l'impression d'être collés, sa peau ne semblait pas poudrée mais poussiéreuse, ses yeux, couleur de noisette, ses yeux seuls étaient beaux . . .

Dix jours plus tard, Louise Dumond n'avait pas remis les pieds à l'agence. Quand elle se décida enfin à y retourner pour prendre 20 son courrier, l'employé lui tendit quatre lettres.

Louise ouvrit la première dans le bureau même et, dès les premières lignes, fut terrifiée:

"Ma poule,

Ainsi, tu as besoin d'un petit homme. Ne fais donc pas tant 25 de manières et poste-toi le mardi 15, à 20 heures, en face du Bar bleu, boulevard Saint-Michel. On ira . . ."

Suivaient trente lignes de ce que Louise appelait "l'horrible détail". Elle lut tout de même la lettre jusqu'au bout avant de la 30 déchirer en petits morceaux. Elle surmonta son dégoût et ouvrit la seconde lettre, puis la troisième; elles étaient simplettes et pleines de fautes d'orthographe. Découragée, mais consciencieuse, Louise ouvrit enfin la quatrième enveloppe: deux feuilles tapées à la machine s'en échappèrent, deux feuilles qui sentaient le tabac et 35 dont la seconde ne lui donna qu'un prénom: "Edmond," également tapé à la machine. Cet anonymat manquait de courage. Mais n'était-elle pas elle-même "Martine"? Son correspondant s'expliquait d'ailleurs décemment:

"Mademoiselle,

Depuis des mois, je consulte la devanture de l'agence. J'en
5 suis venu à examiner sérieusement les deux ou trois douzaines de cartons du panneau des mariages. Aujourd'hui, j'ai relevé trois numéros et loué une case pour la domiciliation des réponses.

"Cette lettre, cependant, n'a pas été faite en triple exemplaire. Je manquerais de respect en vous envoyant une sorte de circulaire.
10 Je tiens aussi à vous dire, sans plus attendre, que je n'emploie pas ici mon véritable prénom. Malgré l'usage, je n'ai pas cru malséant de dactylographier cette lettre. Sans doute mon écriture vous eût-elle révélé quelques traits de mon caractère, mais je me méfie de telles interprétations. Pour ne pas être moi-même tenté d'interroger
15 les barres des vos T et les boucles de vos S, je vous demande d'adopter la même réserve. Ainsi pendant quelques temps jouirons-nous d'une aisance absolue; d'inconnu à inconnue, on peut tout dire et le ridicule même n'effarouche plus sa victime quand elle bénéficie de l'anonymat.

20 "Nous sommes ici entre gens sérieux et j'imagine bien, d'après mes propres sentiments, quels peuvent être les vôtres. Ayons le courage de le dire: je suis un vieux garçon et vous êtes une vieille fille. Le côté plaisant de notre état en masque le côté grave . . .

"Faut-il ajouter de rassurants détails, tels que poids, taille,
25 couleur de cheveux et des yeux? . . . Je vous épargne et vous m'épargnerez ces descriptions classiques, utiles sans doute pour la vente des chevaux. Il suffit, je pense, d'affirmer ici que je ne souffre d'aucune tare physique.

"D'aucune tare sentimentale, non plus: je n'ai personne à
30 oublier . . . "

Louise lut rapidement la fin de la lettre et l'absence de détails précis ne l'empêcha point de se faire une opinion: cette petite vie modeste, cet égoïsme mineur, ce petit courage qui se cachait sous le nom de résignation, cet excès de discrétion, bref, toute cette
35 grisaille lui était familière. Fallait-il l'avouer? Elle n'avait aucune sympathie immédiate pour cet inconnu trop semblable à elle-même. Qui se ressemble ne s'assemble pas toujours. Cependant elle

éprouvait de la curiosité. La vie peut ne pas nous satisfaire et pourtant nous suffire. Pourquoi la vie de l'inconnu ne lui suffisait-elle plus? Pourquoi la vie de Louise ne lui suffisait-elle plus? Elle relut la lettre entière, puis elle rentra chez elle et, après le dîner, se mit à faire un brouillon de quatre pages. 5

— Que fais-tu? murmura son frère, qui continua brusquement: Louise, tu devrais te décider à aller chez le coiffeur. Tu as grand besoin d'une mise en plis.

— On verra! répondit-elle sèchement, décidée à manquer de courtoisie puisque Robert semblait manquer de discrétion. 10

Il passa dans sa chambre sans ajouter le "bonsoir" traditionnel.

Louise soupira. La jeune fille corrigea sa réponse, changea quelques phrases, en ajouta d'autres. Enfin sa lettre lui donna satisfaction:

"Monsieur, 15

Ne vous expliquez pas. Nous avons sans doute manqué d'amour, mais surtout d'aptitude à l'amour. Aujourd'hui l'important n'est pas de savoir pourquoi nous sommes devenus ou restés célibataires, mais pourquoi nous ne voulons plus l'être . . ."

Sur ce ton, Louise écrivit deux pages, qu'elle tapa le lendemain 20 matin sur la Remington de son bureau pour se conformer au désir de son correspondant.

Sa lettre envoyée, elle n'attendit plus une semaine mais seulement quatre jours pour se présenter à l'agence. Elle ne trouva aucune lettre d'Edmond. L'employé lui donna deux lettres en retard 25 qui provenaient, l'une d'un veuf et l'autre d'un divorcé. Mlle Dumond les déchira avec impatience: elle n'était pas de celles qui peuvent commencer plusieurs aventures à la fois. Le surlendemain, toujours rien. Louise retourna cinq fois avant de trouver dans sa case la réponse qu'elle attendait. Elle lut très vite: 30

" . . . Excusez mon retard volontaire. J'ai voulu choisir entre mes trois correspondantes. Vous seule, désormais . . . "

Louise sourit et continua sa lecture:

" . . . Nous pouvons être de ceux pour qui la vie commence à quarante ans. Nous . . . " 35

Nous! Nouveau pronom! Louise retourna en courant chez elle, mais en passant devant le coiffeur de son quartier, sans savoir pourquoi, elle prit un rendez-vous pour le lendemain.

39

Six mois. Cette correspondance, maintenant bihebdomadaire mais encore anonyme, dura six mois. Cinquante lettres s'accumulèrent dans le tiroir de la table de Louise, cinquante lettres qui n'étaient pas des lettres d'amour, mais qu'elle en vint très rapide-
5 ment à considérer comme telles. Edmond l'appelait maintenant "Martine". Ils étaient sur le bord de la familiarité et ne se connaissaient pas. "Il est probable, disait Edmond, que je vous décevrai le jour où je vous rencontrerai pour la première fois. Je ne vous cache rien, mais pour abolir un être, il suffit parfois de ne plus l'imaginer."
10 C'était aussi ce que craignait Louise, mais cette peur la transformait: elle s'habillait mieux, allait régulièrement chez le coiffeur, souriait plus souvent; elle se montrait plus aimable avec son frère, et celui-ci en semblait touché: il ne se moquait plus d'elle.

Six mois! Louise avait deux fois renouvelé son abonnement à
15 l'agence quand elle reçut la cinquante-sixième et dernière lettre de son correspondant. Elle était courte:

"Je pense, Martine, qu'il est temps de ne plus jouer à cache-cache. Nous avons été très sérieux, très patients. Je vous connais assez bien maintenant pour affronter la déception dont je vous ai
20 parlé. Je vous attendrai samedi à midi devant votre agence, rue de Médicis. Signe de ralliement: nous ouvrirons chacun le dernier numéro du journal "l'Intransigeant". Je vous dirai mon nom, mon adresse, en échange des vôtres. Ah! Martine, je suis sûr d'avoir quelque difficulté à vous appeler par votre vrai prénom. A bientôt.
25 — Edmond."

Ce soir-là, Louise rentra tout agitée: l'anxiété dépassait son impatience. Robert se montra charmant, et elle pensa tout lui raconter. Elle n'eut pas le courage de le faire et passa trois jours dans une attente solennelle et un peu puérile.
30 Enfin le samedi arriva. Louise, qui ne travaillait pas ce jour-là, put employer toute la matinée à se préparer. Elle était prête à onze heures, mais, à onze heures et quart, elle décida brusquement de mettre une robe plus simple, par discrétion, et de se démaquiller, par honnêteté. Partie en retard, elle fit cependant un détour par le
35 jardin du Luxembourg, à travers les grilles duquel on peut observer ce qui se passe en face, rue de Médicis.

Elle s'approcha discrètement. Un homme de taille moyenne était planté devant l'agence: Edmond, sans aucun doute, car il

40

tenait un journal ouvert. Il lui tournait le dos. Louise ne pouvait voir de lui que son chapeau gris et son manteau bleu marine. Intimidé, ou préoccupé de ne pas être reconnu, il regardait la devanture avec obstination. Louise attendit encore quelques minutes, mais comme Edmond ne bougeait pas, elle déplia son journal, quitta le jardin et 5 traversa la rue. Au bruit de ses talons, l'homme se retourna, en portant instinctivement la main à son chapeau, et demeura cloué sur place. Le correspondant, c'était son frère, Robert.

Hervé Bazin

On rencontre sa destinée
Souvent par des chemins qu'on prend pour l'éviter.

La Fontaine

Qu'est-ce que l'amour? Le besoin de sortir de soi.

Baudelaire

La Revanche du Prestidigitateur

— A présent, Messieurs, Dames, dit le prestidigitateur, que vous avez vu qu'il n'y avait rien sur cette étoffe, je vais y faire apparaître un aquarium rempli de poissons rouges. Une, deux et trois, voilà!

5   Toute la salle s'écria:

— Merveilleux! Comment fait-il?

Mais un petit malin du premier rang murmura à ses voisins:

— Il l'avait dans la manche . . .

— Mon truc suivant, dit le prestidigitateur, sera le truc des
10 fameux anneaux de l'Indoustani. Vous remarquerez que ces anneaux, qui sont maintenant bien séparés, d'un seul coup vont s'enchaîner (clang, clang, clang). Une, deux et trois, voilà!

Il y eut, dans l'assistance, un cri de stupeur; mais déjà l'on entendait le petit malin du premier rang qui murmurait:

15   — Il avait une autre chaîne d'anneaux dans sa manche . . .

Et le prestidigitateur, qui avait tout entendu, prit un air préoccupé.

— Je vous présenterai à présent, poursuivit-il cependant, un numéro encore plus étonnant, qui consistera à trouver une certaine
20 quantité d'oeufs au fond d'un chapeau. Un monsieur aura-t-il l'amabilité de me prêter son chapeau? Merci, Monsieur . . . Une, deux et trois, voilà!

Il tira dix-sept oeufs du chapeau et, pendant trente secondes, l'assistance le regarda avec admiration, après quoi le petit malin
25 du premier rang dit:

— Il a tout un poulailler dans sa manche . . .

Et le numéro du chapeau et des oeufs perdit alors beaucoup de son intérêt.

Et il en fut de même tout au long de la représentation. Selon
30 le petit malin du premier rang le prestidigitateur avait caché dans

42

SORTIE

sa manche non seulement les anneaux, les poules et les poissons rouges, mais aussi plusieurs jeux de cartes, une miche de pain, une poupée, des souris blanches et un rocking-chair.

Rapidement la réputation du prestidigitateur descendait au-dessous de zéro. A la fin de la soirée, il rassembla ses forces défaillantes en vue d'un dernier effort:

— Mesdames, Messieurs, dit-il, je vais vous présenter enfin un fameux tour japonais inventé récemment. Auriez-vous l'obligeance, Monsieur, poursuivit-il, tourné en direction du petit malin du premier rang, de me remettre votre montre en or?

La montre lui fut passée.

— Ai-je votre permission de la placer dans ce mortier et de l'écraser? demanda-t-il.

Le petit malin fit oui, et sourit.

Le prestidigitateur jeta la montre dans le mortier et il saisit un énorme marteau. On entendit un violent bruit d'écrasement.

— Il l'a glissé dans sa manche, murmura le petit malin.

— A présent, Monsieur, demanda le prestidigitateur, m'autorisez-vous à prendre votre mouchoir et à le percer de trous? Je vous remercie. Vous voyez, Mesdames, Messieurs, aucune tromperie: les trous sont visibles à l'oeil nu.

Le visage du petit malin s'éclaira. Cette fois, véritablement, le mystère de la chose le fascinait.

— Et maintenant, Monsieur, pourriez-vous me passer votre chapeau et m'autoriser à le piétiner? Je vous remercie.

Le prestidigitateur fit quelques pas rapides sur le chapeau, puis le montra écrasé, méconnaissable.

— A présent, Monsieur, voudriez-vous ôter vos lunettes et me permettre de les pulvériser à coups de marteau? Merci.

Le visage du petit malin prenait une expression de surprise.

— Ah, cette fois, se disait-il, je n'y comprends rien!

Un grand silence s'étendit sur la salle. Puis le prestidigitateur se dressa de toute sa taille et, en jetant au petit malin un regard triomphant, il conclut:

— Messieurs et Mesdames, je vous fais remarquer qu'avec la permission de ce monsieur, j'ai successivement brisé sa montre, écrasé son chapeau et pulvérisé ses lunettes. S'il veut me donner encore le droit de peindre des raies rouges sur son pardessus ou de couper sa cravate en petits morceaux, je serai enchanté de continuer à vous distraire. Dans le cas contraire, la représentation est terminée.

Et, dans une bouffée de musique de l'orchestre, le rideau 5 tomba et le public se leva, sûr que certains trucs, au moins, n'étaient pas dans la manche du prestidigitateur.

Stephen Leacock

Rira bien qui rira le dernier.

Claris de Florian

Les gens les plus méfiants sont souvent les plus dupes.
Cardinal de Retz

Le petit Fût

Maître Chicot, l'aubergiste d'Epreville, arrêta sa voiture devant la ferme de la mère Magloire. C'était un grand gaillard de quarante ans, rouge et ventru, qui passait pour malicieux.

Il possédait une propriété voisine des terres de la vieille
5 Magloire qu'il convoitait depuis longtemps. Vingt fois il avait essayé de les acheter, mais la mère Magloire refusait avec obstination de les lui vendre.

— J'y suis née, j'y mourrai, disait-elle.

Il la trouva préparant la soupe, assise devant sa porte. Agée
10 de soixante-douze ans, elle était maigre, ridée, courbée, mais infatigable comme une jeune fille. Chicot lui tapa dans le dos avec amitié, puis s'assit près d'elle.

— Eh bien! la mère, et c'te santé, toujours bonne?

— Pas trop mal, et vous, maît' Prosper?

15 — Eh! eh! quéques douleurs: sans ça, ce s'rait parfait.

— Allons, tant mieux!.

Et elle ne dit plus rien, continuant à couper ses pommes de terre.

Chicot semblait gêné, hésitant, anxieux, avec quelque chose
20 à dire qui ne voulait pas sortir. A la fin, il se décida:

— Dites donc, mère Magloire . . .

— Qué qu'i a pour votre service?

— C'te ferme, vous n'voulez toujours point m'la vendre?

— Pour ça, non. N'y comptez point. C'est dit, c'est dit, n'y
25 r'venez pas.

— C'est qu'j'ai trouvé un arrangement qui f'rait notre affaire à tous les deux.

— Qué qu'c'est?

— Le v'la. Vous m'la vendez, et vous la gardez tout d'même.

30 La vieille fixa sur l'aubergiste ses yeux vifs sous leurs paupières ridées.

46

Il continua:

— Je m'explique. J'vous donne, chaque mois, cent cinquante francs. Vous entendez bien: chaque mois j'vous apporte ici avec ma voiture, trente écus de cent sous. Et il n'y a rien de changé de plus, rien de rien; vous restez chez vous, vous n'vous occupez point de moi, vous n'me d'vez rien. Vous n'faites que prendre mon argent. Ça vous va-t-il?

Il la regardait d'un air joyeux, d'un air de bonne humeur.

La vieille le considérait avec méfiance, cherchant le piège. Elle demanda:

— Ça, c'est pour moi; mais pour vous, c'te ferme, ça n'vous la donne point?

Il reprit:

— N'vous préoccupez point de ça. Vous restez tant que l'bon Dieu vous laissera vivre. Vous êtes chez vous. Seulement vous m'ferez un p'tit papier chez l'notaire pour qu'après vous la ferme me revienne. Vous n'avez point d'enfants, rien qu'des neveux que vous n'aimez guère. Ça vous va-t-il? Vous gardez votre ferme votre vie durant, et j'vous donne trente écus de cent sous par mois. C'est tout gain pour vous.

La vieille demeurait surprise, inquiète, mais tentée.

Elle répliqua:

— Je n'dis point non, seulement j'veux réfléchir. Rev'nez causer d'ça dans l'courant d'l'autre semaine. J'vous f'rai une réponse d'mon idée.

Et maître Chicot s'en alla, content, comme un roi qui vient de conquérir un empire.

La mère Magloire resta pensive. Elle ne dormit pas la nuit suivante. Pendant quatre jours, elle eut une fièvre d'hésitation. Elle flairait bien quelque chose de mauvais pour elle là-dedans, mais la pensée des trente écus par mois, de ce bel argent qui s'en viendrait couler dans son tablier, qui lui tomberait comme ça du ciel, sans rien faire, la ravageait de désir.

Alors elle alla trouver le notaire et lui conta son cas. Il lui conseilla d'accepter la proposition de Chicot, mais en demandant cinquante écus de cent sous au lieu de trente, sa ferme valant au moins soixante mille francs.

La vieille frémit à cette perspective de cinquante écus par mois; mais elle se méfiait toujours, craignant mille choses imprévues, des ruses cachées, et elle resta jusqu'au soir à poser des questions au notaire, ne pouvant se décider à partir. Enfin elle ordonna de
5 préparer l'acte, et elle rentra toute troublée.

Quand Chicot vint pour savoir la réponse, elle déclara d'abord qu'elle ne voulait pas vendre, dévorée par la peur qu'il ne consentit point à donner les cinquante pièces de cent sous. Enfin, comme il insistait, elle énonça ses prétentions.

10 Il eut un mouvement de désappointement et refusa.

Alors, pour le convaincre, elle se mit à raisonner sur la durée probable de sa vie.

— Je n'en ai pas pour plus de cinq à six ans pour sûr. Me v'là sur mes soixante-treize, et pas solide avec ça. L'aut'e soir,
15 j'ai cru que j'allais passer. Il me semblait qu'on me vidait l'corps. Il a fallu me porter à mon lit.

Mais Chicot ne se laissait pas prendre.

— Allons, allons, vous êtes solide comme l'église. Vous vivrez pour le moins cent dix ans. C'est vous qui m'enterrerez, pour sûr.

20 Tout le jour fut encore perdu en discussions. Mais, comme la vieille ne céda pas, l'aubergiste, à la fin, consentit à donner les cinquante écus.

Ils signèrent l'acte le lendemain.

Trois ans passèrent. La bonne femme se portait comme un
25 charme. Elle paraissait n'avoir pas vieilli d'un jour, et Chicot se désespérait. Il lui semblait, à lui, qu'il payait cette pension depuis un demi-siècle, qu'il était trompé, ridiculisé, ruiné. Il allait de temps en temps rendre visite à la fermière. Elle le recevait avec une malice dans le regard. Il lui semblait qu'elle se félicitait du bon tour qu'elle
30 lui avait joué; et il remontait bien vite dans sa voiture en murmurant:

— Tu ne crèveras donc point, carcasse!

Il ne savait que faire. Il eût voulu l'étrangler en la voyant. Il la haïssait d'une haine féroce, d'une haine de paysan volé.

Alors il chercha des moyens.

35 Un jour enfin, il s'en revint la voir en se frottant les mains, comme il faisait la première fois lorsqu'il lui avait proposé le marché.

Et, après avoir causé quelques minutes:

— Dites donc, la mère, pourquoi que vous ne v'nez point dîner chez moi, quand vous passez à Epreville? On dit comme ça que nous ne sommes plus amis, et ça m'ennuie. Vous savez, chez moi, vous ne payerez point. V'nez, ça m'ferait plaisir. 5

La mère Magloire fut enchantée, et le surlendemain, comme elle allait au marché dans sa carriole conduite par son valet de ferme Célestin, elle mit son cheval à l'écurie chez maître Chicot, et réclama le dîner promis.

L'aubergiste, radieux, la traita comme une dame, lui servit 10 du poulet, du boudin, du gigot et du lard aux choux. Mais elle ne mangea presque rien, sobre depuis son enfance, ayant toujours vécu d'un peu de soupe et d'un morceau de pain beurré.

Chicot insistait, désappointé. Elle ne buvait pas non plus. Elle refusa de prendre du café. 15

Il demanda:

— Vous accepterez toujours bien un p'tit verre de fine.

— Ah! pour ça oui. Je ne dis pas non.

Et il cria à travers l'auberge:

— Rosalie, apporte la fine, la meilleure. 20

Et la servante apparut, tenant une longue bouteille.

Il emplit deux petits verres.

— Goûtez ça, la mère, c'est de la fameuse.

Et la bonne femme se mit à boire tout doucement, faisant durer le plaisir. Quand elle eut vidé son verre, elle déclara: 25

— Ça, oui, c'est de la fine.

Elle n'avait point fini de parler que Chicot lui en servait un second verre. Elle voulut refuser, mais il était trop tard, et elle le dégusta longuement, comme le premier.

Il voulut alors lui en faire accepter un troisième, mais elle 30 résista. Il insistait:

— Ça, c'est du lait, voyez-vous; moi j'en bois dix, douze, sans embarras. Ça descend comme du sucre. Rien au ventre, rien à la tête; on dirait que ça s'évapore sur la langue. Y a rien de meilleur pour la santé! 35

Comme elle en avait bien envie, elle accepta, mais elle n'en prit que la moitié du verre.

Alors Chicot, dans un mouvement de générosité, s'écria:

— T'nez, puisqu'elle vous plaît, j'vas vous en donner un p'tit fût, pour bien vous montrer que nous sommes toujours une paire d'amis.

La bonne femme ne dit pas non, et s'en alla un peu grise. 5

Le lendemain, l'aubergiste entra dans la cour de la mère Magloire, puis tira du fond de sa voiture un petit fût. Il voulut lui faire goûter le contenu, pour prouver que c'était bien la même fine; et, quand ils en eurent encore bu chacun trois verres, il déclara, en s'en allant: 10

— Et puis, vous savez, quand y en aura plus, dites-le-moi; n'vous gênez point. Je n'suis pas regardant. Plus tôt que ce sera fini, plus que je serai content. Et il remonta dans sa voiture.

Il revint quatre jours plus tard. La vieille était devant sa porte, occupée à couper le pain pour la soupe. 15

Il s'approcha, lui dit bonjour, lui parla dans le nez, pour sentir son haleine. Et il reconnut un souffle d'alcool. Alors son visage s'éclaira:

— Vous m'offrirez bien un verre de fine? dit-il.

Et ils trinquèrent deux ou trois fois. 20

Mais bientôt le bruit courut dans la contrée que la mère Magloire s'ivrognait toute seule. On la ramassait tantôt dans sa cuisine, tantôt dans sa cour, tantôt dans les chemins des environs, et il fallait la rapporter chez elle, inerte comme un cadavre.

Chicot n'allait plus chez elle, et, quand on lui parlait de la 25 paysanne, il murmurait avec un visage triste:

— C'est-il pas malheureux à son âge, d'avoir pris c't'habitude-là? Ça finira bien par lui jouer un mauvais tour!

Ça lui joua un mauvais tour, en effet. Elle mourut l'hiver suivant, vers la Noël, étant tombée, ivre, dans la neige. 30

Et maître Chicot hérita de la ferme en déclarant:

— C'te pauvre femme, si elle s'était point ivrognée, elle aurait bien vécu dix ans de plus.

Guy de Maupassant

J'embrasse mon rival, mais c'est pour l'étouffer.

Racine

51

Une pessimiste est une femme qui pense qu'elle ne pourra pas garer sa voiture entre deux autres dans un espace visiblement trop étroit. Un optimiste est l'homme qui pense qu'elle n'essayera pas.

Grover Whalen

Une Parisienne au volant de sa voiture

Il fait beau. Paris est ravissant. Je chantonne au volant de ma voiture:

"Ta-ra-ta-ta, lala . . . Ah! me voilà presque arrivée chez le docteur. J'ai un quart d'heure d'avance. Juste le temps de trouver
5 tranquillement une place pour garer la voiture. De quel côté doit-on se garer aujourd'hui: à droite ou à gauche? A droite, les jours pairs, et à gauche les jours impairs. Mais non! c'est changé: à droite pendant la première quinzaine du mois et à gauche pendant la seconde. Et le combien est-ce aujourd'hui?
10 Le plus sûr, c'est encore de se ranger du côté où sont déjà garées toutes les autres voitures. C'est-à-dire, en face. Naturellement, c'est toujours du côté opposé où je suis. Il faut que je coupe toutes les files de voitures. Allons-y! mettons le clignotant. Mais enfin! madame, vous voyez bien que je veux aller en face me garer.
15 Oui! me ga-rer! Celle-là, alors, quelle idiote! Son mari ne doit pas s'amuser tous les jours! Ne perdons pas notre calme. Ouf, ça y est . . . Me voilà du bon côté. Naturellement pas l'ombre d'une place en vue. Ah si! en voilà une. Non, c'est une porte cochère. Là, ce sont les clous. Et si je restais ici, moitié sur les clous? Zut!
20 voilà un flic . . . Monsieur l'agent est-ce-que je ne peux pas me mettre là, juste un petit peu sur les clous? Juste pour pas très longtemps, monsieur l'agent? Ah! ils sont énervants, ces agents, quand ils vous regardent fixement sans vous répondre! Inutile d'insister. Partons. Qui est-ce qui klaxonne de nouveau? Encore une voiture
25 derrière? Mais voyons, monsieur, vous voyez bien que je vais lentement parce que je cherche une place pour me garer. En voilà une. Victoire! Je serai juste à l'heure chez le docteur. Ah! saperlipopette!

le type de la voiture s'est arrêté juste derrière moi. Quel imbécile! Reculez, monsieur! Vous voyez bien que je veux me garer là. Il fait semblant de ne pas comprendre! Reculez, monsieur, re-cu-lez! Naturellement, une autre voiture est venue stopper derrière la sienne. Et encore une autre. Et il ne peut plus reculer. Et il se 5 tape le front avec la main en me regardant. Non, mais c'est fou! quel âne! Si je m'écoutais, je descendrais et j'irais lui dire ce que je pense de lui.

"... Mais ne perdons pas notre calme. Le mieux est encore de faire vite le tour du pâté de maisons et de revenir. Peut-être aurai- 10 je la chance que personne ne me prenne la place pendant ce temps-là. Première rue: sens interdit ... Deuxième rue: sens interdit ... et alors? Comment tourne-t-on à gauche, dans ce quartier? Peut-être jamais, après tout. Tiens! ma parole, dans cette petite rue, il y a tout le parking que l'on veut. Petit Jésus! c'est trop beau. Je 15 ne serai en retard que d'un quart d'heure ...

"... Attention! minute. Qu'est-ce que j'aperçois? Des contra-ventions sur le pare-brise des autres voitures. Cette fois, je vais vrai-ment être en retard. Tant pis, je laisse la voiture là et j'aurai une amende. Mais j'ai déjà eu une contravention il y a cinq jours. Et, 20 à trois dans la même semaine, il paraît que l'on va en prison. Allons, allons, ne perdons pas notre calme. Il vaut tout de même mieux éviter cette contravention. Tant pis, j'expliquerai au docteur les raisons de mon retard. Celui-là, il pourrait habiter ailleurs, après tout, dans un quartier où l'on peut venir en voiture. Tiens, 25 voilà une place. Avec un idiot de scooter au milieu. Mais si je poussais le scooter ...

"... Dieu, que c'est lourd un scooter. Et, naturellement, pas un homme en vue pour m'aider à le pousser. Ah! si, en voilà un, mais il tourne la tête en faisant semblant de ne pas me voir. Je dois 30 vieillir ... Vlan ... Ce sale scooter m'est tombé sur les pieds. Cela ne fait pas du bien. Et maintenant que cet engin est par terre, impossible de le ramasser. Partons vite. Quelle vie! non, mais quelle vie!

"... J'ai maintenant trois quarts d'heure de retard. Tant pis! 35 Un peu plus, un peu moins ... Je dirai au docteur que je me suis trompée d'heure. Il ne faut pas perdre son calme. Je vais essayer de me garer là. J'ai juste la place mais enfin, en poussant en peu

cette Renault en arrière et cette Peugeot en avant, j'y arriverai peut-
être . . ."

". . . Qu'est-ce qui se passe? Malheur! avec mon pare-chocs j'ai
accroché le pare-chocs de la Renault derrière et je l'entraîne
avec moi. Quel bruit atroce! Tous les gens s'arrêtent dans la rue. 5
Que faire? Décrocher les deux pare-chocs? C'est évident. Quel
cauchemar!"

". . . Ne perdons pas notre calme. Tous ces idiots autour de
moi . . . Ben quoi, bonnes gens, vous n'avez jamais vu une femme
sur le pare-chocs d'une Renault? Monsieur, s'il vous plaît, pourriez- 10
vous m'aider? Vous seriez si gentil . . ."

". . . Maintenant, recommençons la manoeuvre pour me ranger.
Qu'est ce qu'il dit, celui-là? Braquer à droite? Comment cela, à
droite? Et celui-là, pourquoi me dit-il de tourner le volant à gauche?
Parce que sa droite, c'est ma gauche? Braquer où maintenant? Je 15
n'y comprends plus rien. Bing! C'est moi qui viens de heurter
violemment la voiture de devant. Ils rient tous! Ne perdons pas
notre calme. Ne perdons pas notre calme. Je sens que mes joues
brûlent."

". . . Mon Dieu! me voilà maintenant en travers de la rue. Je 20
bloque toute la circulation. Ils sont furieux derrière. Ils klaxonnent.
Et celui-là qu'est-ce qu'il veut? "Madame, quelles sont vos intentions
exactes?" dit-il. Il essaie d'être spirituel . . . Monstre!"

". . . Ça y est, je suis sur le trottoir. Braquer quoi? Je ne comprends rien à tous ces gestes qu'ils me font. Voilà l'agent qui vient. 25
Partons . . . Trop tard!"

Le Docteur (une demi-heure plus tard): — Chère Madame, je
vous trouve trop nerveuse. Il vous faut absolument beaucoup de
repos, pas de contrariétés, et le plus grand calme. J'insiste: le plus
grand calme . . .   30

Nicole de Buron

55

Le temps, qui fortifie les amitiés, affaiblit l'amour.

La Bruyère

Tu me dis que tu m'aimes
Autant que moi je t'aime
Pourtant je dis quand même
Qui sait, qui sait, qui sait ...

Chanson populaire

Le Temps Mort

Il y avait à Montmartre un pauvre homme appelé Martin, qui existait seulement un jour sur deux. Pendant vingt-quatre heures, de minuit à minuit, il vivait comme nous le faisons tous, et pendant les vingt-quatre suivantes, son corps et son âme retournaient au
5 néant. Il en était bien ennuyé et avait honte de cette anomalie.

N'exister qu'un jour sur deux est une chose qui révolte le bon sens. Martin lui-même en était choqué et croyait dangereux de révéler au monde une réalité aussi absurde. C'est pourquoi il faisait de son mieux pour garder le secret de sa vie intermittente et, pen
10 dant dix années qui lui parurent comme cinq, il y réussit parfaitement.

Martin n'était pas obligé de gagner sa vie, son oncle Alfred lui ayant laissé un héritage qui lui permettait de satisfaire les besoins de sa demi-existence. Il demeurait dans une vieille maison où il
15 avait, au quatrième étage, une chambre indépendante. C'était un locataire silencieux qui ne recevait jamais personne et évitait les conversations dans l'escalier. Les voisins n'avaient jamais à se plaindre de lui et sa concierge l'estimait parce qu'il était assez bien fait de sa personne et qu'il lui faisait souvent des compliments.

20 Les jours où il existait, Martin se levait de très bonne heure pour n'en rien perdre, s'habillait rapidement, et sortait. Il était triste à la pensée de la veille, journée pendant laquelle il n'avait pas vécu. Il allait acheter un journal pour avoir quelque idée de ces vingt-quatre heures impossibles à imaginer. Il se demandait ce que le

monde avait pu faire sans lui. Le mot hier, qu'à chaque instant il entendait, le remplissait de curiosité, d'envie et de regret. C'était pour lui le moment le plus difficile de la journée. Connaître seulement le jour pendant lequel il vivait, sans hier et sans lendemain, lui paraissait la plus abominable des tortures. Ayant acheté son journal, il s'en allait le lire au fond d'un café, où il prenait son petit déjeuner. D'abord, il dévorait les titres, et puis il lisait chaque page en détails.

Enfin, consultant sa montre, il était pris d'une autre angoisse, celle du temps qui passait; pendant qu'il lisait les nouvelles d'hier, le temps passait avec une rapidité terrifiante. Martin se hâtait de payer son café et s'en allait sur des chemins qu'il avait choisis. Il évitait le centre de Paris où la variété du spectacle faisait passer le temps encore plus vite. Il préférait les quartiers tristes, les paysages sans charme, dont la monotonie faisait paraître le temps plus long.

Ses seuls moments d'optimisme étaient à l'heure de midi. Après avoir acheté quelques provisions au marché, il montait dans sa chambre préparer son repas sur une lampe à alcool. Sa promenade du matin lui donnait de l'appétit, et c'est en mangeant un bifteck ou une salade qu'il trouvait quelque consolation à sa mélancolie. "Un jour sur deux, pensait-il, ce n'est peut-être pas grand'chose, mais c'est tout de même mieux que de ne pas exister du tout. C'est mieux que d'être mort ou de n'être pas né. Quand on pense à tous ceux qui n'ont même pas eu un jour pour goûter à la vie, ni la moitié d'un, ni le quart, on ne peut pas se plaindre."

Mais la sagesse et les bonnes raisons ne le consolaient pas longtemps, et les après-midi n'étaient pas moins cruelles que les matinées.

Le soir, après une longue promenade dans des rues solitaires, il rentrait chez lui à onze heures, se couchait, et s'endormait presque aussitôt. A minuit, il disparaissait d'une manière soudaine et réapparaissait vingt-quatre heures plus tard à la même place. Bien souvent, Martin avait eu la curiosité d'attendre tout éveillé l'instant inimaginable de sa disparition. Il n'avait jamais rien observé ou perçu, pas même un "passage". Si, dans la seconde d'avant minuit, il était en train de déboutonner sa chemise, il se retrouvait, dans la seconde d'après, occupé à la même besogne. Mais, entre ces secondes, vingt-quatre heures avaient passé, et il n'avait qu'à descendre dans la ville pour en avoir les preuves. Comme la sensation de ce temps mort lui était refusée, il avait pris l'habitude de s'endormir avant minuit pour s'éviter l'angoisse d'une attente inutile.

5   Il y avait, après tout, peu de chances qu'on découvre le mystère de sa demi-existence, car il évitait bien de se trouver à minuit dans un endroit fréquenté. Il eut pourtant une expérience assez troublante. Un jour qu'il n'existait pas, une fuite d'eau se produisit dans sa chambre et inonda l'étage inférieur. La concierge vint frapper à
10 sa porte et, remarquant qu'elle était fermée à clef de l'intérieur, pensa qu'il était mort. On força la porte et fut très étonné de ne trouver dans sa chambre ni mort ni vivant. Le chapeau de Martin était accroché au mur, ses vêtements étaient sur une chaise, mais Martin n'était pas là. On ne soupçonna pas la vérité, mais l'affaire
15 fit du bruit dans la maison. Le lendemain, comme il descendait de bonne heure selon son habitude, la concierge arrêta Martin et lui demanda d'un air menaçant la raison de ce mystère. Il eut assez de présence d'esprit pour ne pas s'embrouiller dans une explication impossible et répondit d'un air distrait:

20   — Ma foi, je n'y comprends rien, mais ce peignoir vous va joliment bien . . . ah! oui, joliment bien . . .

      — Vous trouvez? dit la concierge.

      Elle eut un sourire satisfait et oublia l'incident.

      Un jour de septembre. Martin tomba amoureux, et c'était juste-
25 ment l'une des choses qu'il redoutait le plus. D'habitude, quand il apercevait une jolie femme, il baissait les yeux. Mais, ce matin-là, comme il se trouvait dans une boucherie de la rue Lepic, il vit une jeune femme aux yeux tendres, qui avait tout ce qu'il faut pour occuper la pensée d'un pauvre homme qui n'existe qu'un jour sur
30 deux. Elle fut émue de son regard fervent, et lui laissa voir qu'elle rougissait.

      Tous les deux jours, il la rencontrait au marché de la rue Lepic et ils échangeaient de tendres regards. Martin n'avait jamais autant regretté de ne pas vivre comme tout le monde. Il n'osait adresser
35 la parole à la jeune femme. "Comment s'accommoderait-elle d'un homme tel que moi? pensait-il, ce n'est sûrement pas agréable pour une femme d'être veuve un jour sur deux."

Pourtant, un matin qu'il pleuvait, il lui offrit de l'abriter sous son parapluie et elle accepta d'un si doux sourire qu'il ne put résister à lui avouer son amour. Aussitôt, il le regretta, mais trop tard. Déjà, elle lui pressait la main sous son parapluie.

— Moi aussi, dit-elle, je vous aime depuis le premier jour. 5 Je m'appelle Henriette. J'habite rue Durantin.

— Moi, dit Martin, je m'appelle Martin et j'habite rue Tholozé. Je suis bien content.

Sur le point de la quitter, dans la rue Durantin, il lui demanda un rendez-vous. 10

— Si vous voulez, dit Henriette, je suis libre demain, toute la journée.

— Impossible, répondit Martin en rougissant. Demain, je ne suis pas là. Mais après-demain?

Tous deux furent exacts au rendez-vous dans un café du boule- 15 vard de Clichy. Quand ils se furent tout dit, Martin, qui avait beaucoup réfléchi à la situation, poussa un grand soupir et déclara:

— Henriette, j'ai encore un aveu à vous faire. Je n'existe qu'un jour sur deux.

Il vit dans les yeux d'Henriette qu'elle ne comprenait pas bien 20 et lui expliqua toute l'affaire.

— Voilà, conclut-il d'une voix anxieuse. J'ai préféré vous mettre au courant. Evidemment, un jour sur deux, ce n'est pas beaucoup ...

— Mais si, protesta Henriette, ce n'est pas si mal. Bien sûr, 25 il vaudrait mieux être ensemble tout le temps, surtout les premiers jours, mais la vie est comme ça. On ne fait pas ce qu'on veut.

Ils découvrirent alors qu'ils étaient faits l'un pour l'autre et se marièrent le surlendemain. Ils s'installèrent chez lui et quand, à minuit, Martin disparut soudain, Henriette poussa un cri de sur- 30 prise. Dans le premier moment, de désappointement, elle lui reprocha presque de disparaître ainsi sans même faire un peu de fumée, mais son amour lui inspira aussitôt l'inquiétude qu'il ne revînt pas. Elle avait beaucoup de peine à imaginer qu'il eût cessé d'exister, même provisoirement. Et en vérité, c'était une chose inimaginable. Elle 35 ne put s'empêcher de penser qu'il était au ciel et, avant de s'endormir, elle récita une petite prière pour le recommander à Dieu.

59

Le lendemain matin, en s'éveillant dans cette nouvelle chambre, elle pleura en pensant à Martin.

"J'aimerais être sûre qu'il est ici, pensa-t-elle, comment croire qu'il reviendra, si vraiment il n'est plus rien?"

5 Elle eut plusieurs crises de larmes dans la matinée. L'après-midi alla bien mieux. Martin n'avait plus que quelques heures à s'absenter dans cet inconcevable néant, et peu à peu la promesse de son retour délivrait Henriette de toutes ses inquiétudes. Elle l'attendait, avec une tendre impatience, comme on attend un voya-10 geur. C'était ennuyeux, mais puisqu'il était en route, il fallait patienter.

A minuit Martin se retrouva dans le lit qu'il avait quitté la veille. Tandis qu'Henriette lui caressait la main, comme pour le consoler, il eut un regard anxieux et la même question leur vint 15 aux lèvres: "Alors?" Ce fut Martin qui répondit le premier, en haussant les épaules.

— Alors? eh bien! rien . . . Comprends-tu? rien. Je n'existais pas plus que tu n'existais il y a cent ans. Pour moi, toute cette journée d'hier est du temps mort . . . Mais pour toi, Henriette, ce 20 n'est que du temps passé et tu t'en souviens. Raconte-moi hier, raconte la journée. Comment vont les heures quand je n'existe pas? Raconte . . .

— Ce matin, dit Henriette, je me suis levée à huit heures . . .

— Oui, mais avant . . . depuis le moment où j'ai cessé 25 d'exister . . .

— Je ne peux pas dire comment tu as disparu . . . Tout à coup, je n'ai plus rien vu. Je n'ai pas eu peur, puisque j'étais pré-venue, seulement, j'ai levé la tête pour te chercher dans la chambre. Il n'y avait qu'une mouche qui volait autour de la lampe.

30 — Oh! dit Martin. Cette mouche, je me rappelle l'avoir vue, moi aussi, quelques minutes avant minuit. Ah! si seulement j'étais mouche les jours où je disparais, je serais heureux.

Henriette s'habitua très vite aux absences de Martin. Elle se voyait dans la situation d'une femme dont le mari est occupé au-35 dehors un jour sur deux. Martin se sentait plus heureux depuis qu'il était marié. Il était moins tourmenté par le désir de retrouver le temps mort. Henriette lui racontait l'emploi de ses journées de veuvage et il finissait par se convaincre que tous les jours de la vie sont à peu près pareils.

Le temps lui paraissait passer plus rapidement que jamais et il ne pensait pas à le regretter. L'amour et la présence d'Henriette avaient transformé sa vie. Il l'aimait tendrement et ne voulait pas 5 troubler leur joie par des regrets inutiles.

— En un mois, disait-il, tu as trente jours de bonheur et moi, j'en ai quinze. Mais nous arrivons au bout du mois ensemble, c'est l'essentiel.

— Mais non, protestait Henriette, je n'ai pas trente jours de 10 bonheur. Quand tu n'es pas là, je m'ennuie, je suis triste.

Elle disait cela un peu pour lui faire plaisir. La vérité est qu'elle acceptait assez facilement les jours de solitude. Elle se reposait et goûtait les plaisirs de la méditation. Mais après deux ans d'union, son amour à elle qui durait depuis deux années pleines, 15 n'avait plus la fraîcheur, ni l'enthousiasme que gardait l'amour de Martin, âgé d'une année seulement, et Martin avait parfois l'impression qu'Henriette l'aimait avec moins de passion.

Une nuit qu'il revenait à l'existence, il découvrit qu'il était seul dans la chambre. Il fut pris d'un vertige et faillit appeler à l'aide. 20 Il se leva, fit le tour de la chambre, et s'étant assuré qu'elle n'avait pas emporté son bagage, vint se recoucher. Henriette rentra vers minuit un quart et dit avec un sourire tranquille:

— Mon chéri, je te demande pardon, mais je suis allée au cinéma et la séance a fini plus tard que je n'aurais pensé. Tu n'es 25 pas fâché?

— Mais non, protesta Martin de mauvaise humeur. Pourquoi le serais-je? tu as bien le droit d'aller au cinéma, j'imagine, et même partout où il te plaît. Ce que tu fais pendant que je n'existe pas ne regarde que toi. Ta vie t'appartient, et ce n'est pas parce qu'elle 30 coïncide de temps en temps avec la mienne . . .

— Pourquoi dis-tu "de temps en temps"? interrompit Henriette. Nos vies coïncident un jour sur deux.

— Oh! je sais bien, ce n'est pas de ta faute, conclut Martin en ricanant. Tu fais ce que tu peux. 35

Henriette hocha la tête avec une moue ennuyée. Martin ne dormit guère cette nuit-là. Il songeait avec jalousie aux journées qu'Henriette passait si facilement sans lui.

Ce qui avait été accidentel devint une habitude, et au moins une fois par semaine Henriette rentrait après minuit. Ces retards exaspéraient Martin. Chaque minute de retard lui semblait augmenter le nombre de ses heures mortes dans son existence déjà réduite.

5 Il devint horriblement jaloux. Il accablait Henriette de questions qui étaient autant de reproches.

— Allons, protestait Henriette, voilà que tu te fais des idées.

Ce calme mettait Martin hors de lui. Il criait, pleurait, l'embrassait passionnément et recommençait à lui poser les mêmes

10 questions. Henriette trouvait qu'il était devenu bien insupportable mais elle patientait en se disant qu'elle avait la paix au moins un jour sur deux et que c'était toujours ça.

Le jour vint tout de même où Henriette en eut assez de ces scènes de jalousie. Elle en était venue à préférer les jours où Martin

15 n'existait pas. Pourquoi alors ne pas se séparer pour de bon? Et elle le quitta un jour qu'il n'existait pas, en lui laissant une lettre où elle expliquait ses sentiments.

Il essaya de reprendre sa vie de célibataire, ses promenades du matin dans des quartiers désolés. Mais le temps lui paraissait

20 long maintenant. Sa montre tournait lentement, et rien de ce qu'il voyait ne l'intéressait.

Il passait l'après-midi au cinéma, mais rien ne distrayait son ennui. Tous les jours de son existence se traînaient avec la même lenteur et il en vint à souhaiter de ne vivre qu'un jour par semaine

25 et même un jour par mois.

Un soir il alla se promener sur le boulevard. Minuit approchait. Il décida d'affronter devant tout le monde l'instant de sa disparition. Soudain, il aperçut Henriette de l'autre côté de la rue, assise à la terrasse d'un café en compagnie d'un homme. Martin, sans faire

30 attention aux voitures, traversa brusquement. Un taxi, qui allait à toute vitesse, n'eut pas le temps de freiner. Il n'y eut pas à proprement parler d'accident, Martin ayant disparu à l'instant même où la voiture le heurtait, mais Henriette, qui avait reconnu le pauvre Martin avant sa disparition dit à son compagnon:

35 — Tiens, il est déjà minuit.

Marcel Aymé

62

Le sort fait les parents, le choix fait les amis.

abbé Delille

Aux Champs

Les deux chaumières étaient côte à côte, au pied d'une colline, proches d'une petite ville d'eaux. Les deux paysans travaillaient dur sur la terre infertile pour élever tous leurs petits. Chaque ménage en avait quatre. Devant les deux portes voisines, toute la marmaille grouillait du matin au soir. 5

La première des deux chaumières, en venant de la station d'eaux de Rolleport, était occupée par les Tuvache, qui avaient trois filles et un garçon; l'autre masure abritait les Vallin, qui avaient une fille et trois garçons.

Tout cela vivait péniblement de soupe, de pommes de terre et 10 de grand air.

Par un après-midi du mois d'août, une légère voiture s'arrêta brusquement devant les deux chaumières, et une jeune femme, qui conduisait elle-même, dit au monsieur assis à côté d'elle:

— Oh! regarde, Henri, tous ces enfants! sont-ils jolis, comme 15 ça, à grouiller dans la poussière.

L'homme ne répondit rien, accoutumé à ces admirations qui étaient une douleur et presque un reproche pour lui, car leur mariage n'avait produit aucun enfant.

La jeune femme reprit: 20

— Il faut que je les embrasse! Oh! comme je voudrais en avoir un, celui-là, le tout petit.

Et, sautant de la voiture, elle courut aux enfants, prit un des deux derniers, celui des Tuvache, et, l'enlevant dans ses bras, elle l'embrassa passionnément sur ses joues sales, sur ses cheveux blonds 25 frisés et couverts de terre, sur ses menottes qu'il agitait pour se débarrasser des caresses ennuyeuses.

Puis elle remonta dans sa voiture et repartit. Mais elle revint la semaine suivante, s'assit elle-même par terre, prit le petit dans ses bras, le bourra de gâteaux, donna des bonbons à tous les autres, et joua avec eux comme une enfant, pendant que son mari attendait patiemment dans sa voiture.

Elle revint encore, fit connaissance avec les parents, reparut 5 tous les jours, les poches pleines de friandises et de sous.

Elle s'appelait Mme Henri d'Hubières.

Un matin, en arrivant, son mari descendit avec elle; et, sans s'arrêter aux enfants qui la connaissaient bien maintenant, elle entra dans la maison des Tuvache.

10 Ils étaient là, en train de couper du bois pour le feu: ils se redressèrent tout surpris, donnèrent des chaises et attendirent. Alors la jeune femme, d'une voix tremblante, commença:

— Mes braves gens, je viens vous trouver parce que je voudrais bien . . . je voudrais bien emmener avec moi votre . . . petit 15 garçon . . .

Les paysans, stupéfaits et sans idée, ne répondirent pas.

Elle continua:

— Nous n'avons pas d'enfants; nous sommes seuls, mon mari et moi . . . nous le garderions . . . voulez-vous?

20 La paysanne commençait à comprendre. Elle demanda:

— Vous voulez nous prend' Charlot? Ah ben non, pour sûr.

Alors M. d'Hubières intervint:

— Ma femme s'est mal expliquée. Nous voulons l'adopter; mais il reviendra vous voir. S'il tourne bien, comme tout porte à 25 le croire, il sera notre héritier. Si nous avions, par hasard, des enfants, il partagerait également avec eux. A sa majorité, nous lui donnerons une somme de vingt mille francs, qui sera immédiatement déposée en son nom chez un notaire. Et comme on a aussi pensé à vous, on vous servira jusqu'à votre mort une pension de 30 cent francs par mois. Avez-vous bien compris?

La fermière s'était levée, toute furieuse.

— Vous voulez que j'vous vende Charlot? Ah! mais non; c'est pas des choses qu'on d'mande à une mère, ça! Ah, mais non! Ce serait une abomination.

35 Le paysan ne disait rien, grave et réfléchi; mais il approuvait sa femme d'un mouvement continu de la tête.

Mme d'Hubières se mit à pleurer, et, se tournant vers son mari, avec une voix pleine de sanglots, une voix d'enfant gâté dont tous

64

les désirs ordinaires sont satisfaits, elle balbutia:

— Ils ne veulent pas, Henri, ils ne veulent pas!

Alors ils firent une dernière tentative.

— Mais, mes amis, songez à l'avenir de votre enfant, à son bonheur, à . . .

La paysanne, exaspérée, lui coupa la parole:

— C'est tout vu, c'est tout entendu, . . . allez-vous-en, et que j'vous revoie point par ici.

Alors Mme d'Hubières, en sortant, s'avisa qu'il y avait un autre petit du même âge, et elle demanda à travers ses larmes, avec une ténacité de femme volontaire et gâtée, qui ne veut jamais attendre:

— Mais l'autre petit n'est pas à vous?

Le père Tuvache répondit:

— Non, c'est aux voisins; vous pouvez y aller si vous voulez.

Et il rentra dans sa maison, où on entendait la voix indignée de sa femme.

Les Vallin étaient à table, en train de manger lentement des tranches de pain qu'ils frottaient parcimonieusement avec un peu de beurre piqué au couteau, dans une assiette entre eux deux.

M. d'Hubières recommença ses propositions, mais avec plus d'insinuations, de précautions oratoires, d'astuce.

Les deux paysans agitaient la tête en signe de refus; mais quand ils apprirent qu'ils auraient cent francs par mois, ils se considérèrent, se consultant de l'oeil.

Ils gardèrent longtemps le silence, torturés, hésitants. La femme enfin demanda:

— Qué qu't'en dis, l'homme?

Il prononça d'un ton sentencieux:

— J'dis qu'c'est point méprisable.

Alors Mme d'Hubières, qui tremblait d'angoisse, leur parla de l'avenir du petit, de son bonheur, et de tout l'argent qu'il pourrait leur donner plus tard.

Le paysan demanda:

— C'te pension de douze cents francs par an, ce s'ra promis d'vant l'notaire?

M. d'Hubières répondit:

— Mais certainement, dès demain.

La fermière, qui méditait, reprit:

— Cent francs par mois, c'est point suffisant pour nous priver du petit; ça travaillera dans quéqu'z'ans ct'éfant; i nous faut cent vingt francs.

Mme d'Hubières, folle d'impatience, les accorda tout de suite; et, comme elle voulait enlever l'enfant, elle donna cent francs en cadeau pendant que son mari faisait un écrit. Le maire et un voisin, appelés aussitôt, servirent de témoins.

Et la jeune femme, triomphante, emporta le petit hurlant, comme on emporte un bibelot acheté dans un magasin.

Les Tuvache, devant leur porte, le regardaient partir, muets, sévères, regrettant peut-être leur refus.

On n'entendit plus du tout parler du petit Jean Vallin. Les parents, chaque mois, allaient chercher leurs cent vingt francs chez le notaire; et ils étaient fâchés avec leurs voisins parce que la mère Tuvache les agonisait d'ignominies, répétant sans cesse de porte en porte qu'il fallait être dénaturé pour vendre son enfant, que c'était une horreur, une saleté, une corromperie.

Et parfois, elle prenait en ses bras son Charlot, avec ostentation, lui criait, comme s'il pouvait comprendre:

— J'tai pas vendu, moi, j'tai pas vendu mon p'tit. J'vends pas mes enfants, moi. Suis pas riche mais vends pas mes enfants.

Et, pendant des années et encore des années, ce fut ainsi chaque jour des allusions grossières qui étaient répétées devant la porte, de façon à entrer dans la maison voisine. La mère Tuvache avait fini par se croire supérieure à toute la contrée parce qu'elle n'avait pas vendu Charlot. Et ceux qui parlaient d'elle disaient:

— J'sais ben que c'était tentant, tout de même, elle s'est conduite comme une bonne mère.

Et Charlot, qui prenait dix-huit ans, élevé dans cette idée qu'on lui répétait tout le temps, se jugeait lui-même supérieur à ses camarades, parce qu'on ne l'avait pas vendu.

Les Vallin vivaient à leur aise, grâce à la pension. La fureur des Tuvache, restés misérables, venait de là: ils étaient envieux.

Leur fils aîné partit au service. Le second mourut; Charlot resta seul à travailler avec le vieux père pour nourrir la mère et les deux autres soeurs nées après lui.

Charlot prenait vingt et un ans, quand, un matin une brillante voiture s'arrêta devant les deux chaumières. Un jeune monsieur, avec une chaîne de montre en or, descendit, donnant la main à une vieille dame en cheveux blancs. La vieille dame lui dit:

5 — C'est là, mon enfant, à la seconde maison.

Et il rentra comme chez lui dans la chaumière des Vallin.

La vieille mère lavait ses tabliers; le père, infirme, sommeillait près du feu. Tous deux levèrent la tête et le jeune homme dit:

— Bonjour, papa; bonjour, maman.

10 Ils se dressèrent, stupéfaits. La paysanne laissa tomber son savon dans son eau et balbutia:

— C'est-i-toi, m'n éfant? c'est-i toi, m'n éfant?

Il la prit dans ses bras et l'embrassa, en répétant:

— "Bonjour, maman." Le vieux, tout tremblant, disait, de son
15 ton calme qu'il ne perdait jamais: "Te v'là-t'i revenu, Jean?" Comme s'il l'avait vu un mois auparavant.

Et, quand ils se furent reconnus, les parents voulurent tout de suite sortir le fils dans le pays pour le montrer. On le conduisit chez le maire, chez le curé, chez l'instituteur.

20 Charlot, debout devant la porte de sa chaumière, le regardait passer.

Le soir, au souper, il dit au vieux:

— Fut-i qu'vous ayez été sots pour laisser prendre le p'tit Vallin!

25 Sa mère répondit obstinément:

— J'voulais point vendre not'éfant!

Le père ne disait rien.

Le fils reprit:

— C'est-i pas malheureux d'avoir été sacrifié comme ça!

30 Alors le père Tuvache articula d'un ton coléreux:

— Vas-tu nous r'procher d't'avoir gardé?

Et le jeune homme, brutalement:

— Oui, j'vous le r'proche, que vous n'êtes que des idiots. Des parents comme vous, ça fait l'malheur des enfants. Qu'vous méri-
35 teriez que j'vous quitte.

La bonne femme pleurait dans son assiette. Elle gémit:

— Tuez-vous donc pour élever d's énfants!

68

Alors le jeune homme, rudement:

— J'aimerais mieux n'être point né que d'être c'que j'suis. Quand j'ai vu l'autre, je m'suis dit: v'là c'que j'serais maintenant!

Il se leva.

— Tenez, j'sens bien que je ferai mieux de ne pas rester ici, 5 parce que j'vous le reprocherais du matin au soir, et que j'vous ferais une vie d'misère. Ça, voyez-vous, j'vous l'pardonnerai jamais!

Les deux vieux se taisaient, atterrés, larmoyants.

Il reprit:

— Non, c't'idée-là, ce serait trop dur. J'aime mieux m'en aller 10 chercher ma vie aut'part!

Il ouvrit la porte. Un bruit de voix entra: les Vallin festoyaient avec l'enfant revenu.

Alors Charlot tapa du pied et, se tournant vers ses parents, cria: 15

— Manants, va!

Et il disparut dans la nuit.

Guy de Maupassant

Quand on n'a pas ce que l'on aime,
Il faut aimer ce que l'on a.

Roger de Bussy-Rabutin

A quelque chose malheur est bon.

proverbe

*La vie est courte, mais l'ennui l'allonge. Aucune vie n'est
assez courte pour que l'ennui n'y trouve pas sa place.*

Jules Renard

Déclin

Depuis plus de quarante ans M. Legault était comptable pour le
même patron. Tous les matins, sans défaillance, il se rendait à son
travail à huit heures trente et revenait le soir à cinq heures trente,
heureux de sa journée. Il avait vu grandir le commerce des appareils
5 électriques. Au début ils n'avaient été que deux commis aux écritures, maintenant plus de vingt employés se cotoyaient dans le
même bureau. Les jeunes filles faisaient crépiter leurs dactylo-
graphes, les hommes manipulaient les machines à calculer si
ingénieuses, le téléphone du pupitre des commandes sonnait sans
10 arrêt.

M. Legault était assistant du chef comptable depuis une dizaine
d'années. Il s'acquittait consciencieusement de son travail et se sentait aussi jeune qu'à son entrée au service de M. Byron.

Veuf depuis longtemps, M. Legault habitait chez son fils,
15 entouré de nombreux petits-enfants pour qu'il faisait revivre la vie
merveilleuse de la fin du XIXe siècle. Le fils, lui, trouvait suffisamment merveilleuse la vie des temps modernes: il avait réussi au delà
de toutes espérances dans la fabrication du papier. On le disait
millionnaire, ce qui signifiait sans doute qu'il valait au moins un
20 demi-million.

Plusieurs fois le fils, Charles, avait essayé de convaincre son
père qu'il pouvait le faire vivre à l'aise, sans qu'il eût à travailler
un jour de plus, mais le père protestait qu'il craignait l'inactivité
comme l'enfer. Le fils lui avait offert à sa propre usine un poste
25 beaucoup plus important que celui qu'il occupait chez Byron, mais

70

le vieux était si attaché à son bureau que pour rien au monde il ne l'aurait abandonné. Depuis si longtemps il accrochait son chapeau à la même vieille patère, il endossait chaque matin son gilet d'alpaca pour ménager son veston, depuis si longtemps il mangeait chaque midi dans le même petit restaurant, depuis si long- 5 temps il calculait les mêmes factures, qu'il n'aurait pas pu quitter son ancienne table de travail sans sentir que la principale étape de sa vie était finie.

Et tous les jours le vieil employé retournait allégrement à sa tâche. Un samedi midi, un peu avant l'heure du départ, son patron 10 le fit mander à son bureau. Une fois la porte fermée, M. Byron toussa deux ou trois fois et commença:

— Hum . . . hum . . . Vous êtes, M. Legault, un employé fidèle comme il s'en trouve peu de nos jours.

— Je ne fais que mon devoir, M. Byron.   15

— Votre devoir si vous voulez. Vous êtes d'une ponctualité remarquable, je tiens à vous le dire . . . euh . . . euh . . . vous êtes bien à notre service depuis une quarantaine d'années?

— Quarante-deux ans exactement.

— Oui . . . je me souviens quand vous êtes entré, vous étiez 20 un peu plus âgé que moi . . . vous devez bien avoir soixante-dix ans maintenant?

— Soixante et onze.

— Je vous félicite, vous en paraissez à peine soixante.

— Et je me sens comme à cinquante.   25

— Ah . . . euh . . . c'est tout de même un âge respectable, soixante et onze ans . . . euh . . . euh . . . je crois que vous avez travaillé depuis si longtemps que . . . euh . . . vous méritez un repos.

— Un repos! Je n'ai pas besoin de repos. J'ai déjà assez de mes vacances de l'été et même pendant ces deux semaines-là, je 30 vous l'avouerai, je m'ennuie. Je ne suis pas fait pour flâner. Mon bureau est pour moi toute ma vie.

— Oui . . . oui . . . tout de même à votre âge on veut jouir un peu de ses vieux jours . . . euh . . . euh . . . et il vous faut prendre soin de vous-même, vous n'êtes plus aussi jeune. Je crois . . . je suis 35 certain qu'un repos vous ferait du bien.

— . . .

— . . . euh . . . après avoir discuté votre cas avec mes associés,

71

nous en sommes venus à la conclusion que vous méritez votre retraite.

— Ma retraite!

— Cela vous surprend, mais vous ne pouvez tout de même
5 pas continuer à travailler jusqu'à ce que vous soyez . . . euh . . .
épuisé, ce qui ne tardera pas si vous ne prenez pas de repos. Vous
savez que nous sommes à réorganiser nos bureaux, je crois que
l'occasion se présente pour vous demander de prendre votre retraite.

— C'est-à-dire que vous me mettez à la porte.

10 — Pas du tout . . . vous prenez mal ça. Vous avez toujours
été un employé fidèle qui a su commander le respect et les éloges
de vos supérieurs, nous vous paierons une pension de retraite
. . . malheureusement nous ne pouvons vous donner autant que
nous aurions voulu, cela sera déjà pour nous une forte charge, par
15 contre nous savons que vous habitez chez votre fils et que vous ne
manquerez de rien chez lui, ainsi nous croyons que le montant vous
suffira.

— Je m'en fiche pas mal de votre pension, moi. Je veux travailler.

20 — Mon pauvre vieux Legault, il faut penser à vos vieux
jours, profiter de ceux qui vous restent . . . euh . . . euh . . . d'ailleurs
votre remplaçant est choisi et commence lundi. Vous passerez à la
caisse, nous vous paierons un mois de salaire. Votre pension com-
mencera en mai.

25 — J'ai donc fini à l'heure qu'il est.

— Bien . . . si vous voulez . . . Le mois prochain nous vous
donnerons une petite fête. Tous les employés du bureau et des
magasins y prendront part et nous vous remettrons un petit cadeau
en témoignage d'estime.

30 — Vous pouvez la garder pour vous votre fête. On me con-
gédie et on veut fêter ça. Bonjour, M. Byron.

— J'espère que vous reviendrez nous voir . . . .

Legault était sorti. Dans le bureau, il enleva son vieux gilet et
au lieu de l'accrocher comme toujours, il le roula et le ficela. Il
35 décrocha son chapeau pour la dernière fois, regarda la patère qui
lui servait depuis toujours, jeta un coup d'oeil sur son pupitre qui
était en ordre et partit sans dire un mot à ses compagnons; ceux-ci
n'osaient lui dire adieu, ils voyaient qu'il avait des larmes aux yeux.

Rendu chez lui, il s'enferma dans sa chambre et refusa de descendre pour le déjeuner. Le soir, son fils, inquiet, monta le voir.

— Es-tu malade?

— Je ne me suis jamais senti mieux.

— Alors qu'est-ce qu'il y a qui ne vas pas?   5

— Byron m'a mis à la porte.

— Hein! Ce n'est pas possible.

— Voilà la reconnaissance qu'ont les gens aujourd'hui. Quarante-deux ans de services dévoués, comme on dit, et houp à la porte! comme une vieille guenille.   10

— Que s'est-il passé?

— Ils me mettent à ma retraite, comme ils disent, avec une pension de $20.00 par mois.

— Ah bon . . . ce n'est pas tout à fait te congédier et sais-tu une chose, il a raison ton Byron, il était temps que tu te retires.   15

— Temps! Mais comprends donc que je n'ai plus rien à faire dans la vie, je mourrai d'ennui à me tourner les pouces dans une chaise berçante. Tu me vois jouant aux dames avec la vieille brigade des trop vieux. Ça me tuera, Charles.

La semaine suivante, le vieux Legault sortit à peine de sa   20
chambre. Il mangea si peu qu'il avait déjà maigri après quelques jours. Les enfants qui aimaient bien entendre les histoires du passé furent vivement rabroués chaque fois qu'ils lui demandèrent un conte. Si bien qu'à la fin de la semaine Charles Legault décida d'aller voir Byron. Celui-ci le reçut aimablement, bien qu'il fût mal   25
à l'aise.

— Vous comprenez la situation, dit Byron. Votre père n'est plus jeune, loin de là. Son travail s'en ressentait. Il a fait depuis quelques mois des erreurs assez coûteuses pour nous. Je ne lui en ai rien dit pour ne pas le blesser, mais nous ne pouvions plus le   30
garder.

— Tout de même, objecta Legault fils, c'est assez dur pour lui. Il vous a consacré la majeure partie de sa vie.

— Nous reconnaissons tout son mérite, malheureusement il nous faut tous en venir là. Vous aurez à faire face à ce problème   35
vous-même dans quelques années, il vous faudra vous séparer de vos vieux employés. Cela n'a rien d'intéressant, croyez-moi, mais

nous ne pouvons pas laisser accumuler les fautes grossières. En plus votre père est assez têtu, il refuse de se servir des machines modernes pour ses calculs, ce qui entraîne des retards ennuyeux dans nos rapports. Nous ne pouvions vraiment plus continuer ainsi.

5   — Vous avez sans doute raison, cependant vous lui avez ni plus ni moins signifié son arrêt de mort. En une semaine il est devenu un vieillard.

       — Je le regrette beaucoup, mais . . . je ne vois pas . . . Vous savez que notre commerce n'est plus ce qu'il était autrefois, nous
10 avons à faire face à une concurrence outrée, il est impossible pour nous de continuer à payer un salaire inutile . . . Si nous n'avions pas su que vous pouviez faire vivre votre père très confortablement nous aurions peut-être essayé de lui donner une plus forte pension quoique cela eût été très onéreux pour nous, mais quant à lui
15 donner son plein salaire pour un travail qu'il nous faudra faire reprendre tous les jours, c'est impossible.

       — Oui . . . oui . . . il y a peut-être moyen de s'entendre M. Byron. Que diriez-vous si je vous offrais de payer moi-même le plein salaire de mon père et vous le reprendriez à son ancien poste.
20   — Ah . . . en effet . . .

       — Vous lui donneriez à faire son travail habituel, quitte à le faire reviser par son remplaçant. Cela ne vous coûterait pas un sou.

       — Oui . . . je crois votre suggestion excellente. Il n'y a pas d'erreur, ce serait une solution qui arrangerait tout.
25   — Alors, c'est entendu . . . Il ne faudrait pas que d'autres que nous connaissent la combine, si cela venait à ses oreilles, il serait plus humilié que jamais.

       — Soyez sans crainte. Je vais y voir immédiatement. Dites à votre père de revenir lundi, il reprendra ses fonctions.
30 De retour chez lui, le fils monta voir le vieux.

       — Père, dit-il, j'ai eu un téléphone de Byron.

       — Ah . . . et tu as daigné lui parler?

       — Bien oui . . . sais-tu ce qu'il voulait?

       — Non, et je ne tiens pas à le savoir.
35   — Eh bien, il veut que tu reprennes ton poste. Il demande que tu retournes travailler dès lundi.

Les yeux du vieillard brillèrent.

— Ah ben, le vieux maudit ! il s'aperçoit qu'il a fait une erreur monumentale et il compte maintenant sur moi pour le sortir du pétrin.

Le père Legault éclata de rire.

— Ah . . . ah . . . ah . . . elle est bonne . . . mais il peut 5 toujours se fouiller . . . s'il pense que je vais aller trimer là jusqu'à ce que je sois épuisé, j'en ai assez fait pour lui pendant quarante-deux ans . . . le vieux maudit !

Il mordait dans ses mots avec une joie de cannibale. Il continua avec force: 10

— Allons dîner . . . je crève de faim, moi . . . Eh, les enfants, venez vite à la table si vous voulez entendre un fameux conte . . . Sais-tu, Charles, tu vas m'acheter un damier et je te dis seulement que je vais lui en donner une ronde au vieux Latreille qui se croit le champion du monde. Il est temps que je commence à profiter de la vie, moi aussi. Allez ouste! tout le monde à table.

Roger Viau

Rien ne sert de courir, il faut partir à point.

La Fontaine

Le Champ de Tir

Les sept condamnés passèrent un à un dans le long corridor, entre des soldats SS. Gerbier se trouvait à peu près au milieu de la file. L'étudiant marchait en tête et le paysan était le dernier. Les condamnés avançaient lentement. Ils portaient tous des chaînes
5 aux pieds. Dans le silence du couloir, les bottes des soldats allemands faisaient un bruit lourd et profond et l'on entendait en même temps cliqueter les chaînes des condamnés.

"Cela compose une sorte de symphonie," se dit Gerbier.

Les ombres dansaient sur les murs, les chaînes gémissaient.
10 Gerbier réfléchissait de plus en plus vite.

"Je vais mourir . . . et je n'ai pas peur . . . c'est impossible de ne pas avoir peur quand on va mourir . . . c'est parce que je ne peux pas le croire."

A ce point, la méditation de Gerbier fut interrompue. Au
15 premier instant, il ne comprit pas la cause de cet arrêt. Puis il entendit un chant qui emplissait tout le couloir. Puis il reconnut ce chant. La Marseillaise. L'étudiant avait commencé. Les autres avaient repris aussitôt. L'étudiant, le rabbin et l'ouvrier avaient de belles voix pleines et passionnées. C'étaient elles que Gerbier enten-
20 dait le mieux. Mais il ne voulait pas les écouter. Il voulait réfléchir. Ces voix l'en empêchaient. Et surtout, il ne voulait pas chanter.

La file des condamnés avançait lentement. Le chant passait au-dessus de Gerbier.

"Ils ne veulent pas penser, et moi, je veux . . . , " se disait-il.
25 Et il attendait avec une impatience sauvage qu'ils aient fini de chanter. Le corridor était long.

"J'aurai encore du temps à moi," se dit Gerbier. La Marseillaise s'acheva.

La file arriva enfin devant une petite porte. Les ombres sur les murs s'arrêtèrent de danser. Le grincement des chaînes se tut.

76

Une sentinelle ouvrit la porte. Une lumière naturelle éclaira un morceau du corridor. L'étudiant reprit La Marseillaise, et les condamnés pénétrèrent l'un derrière l'autre dans l'enclos de leur mort.

C'était un champ de tir militaire classique. Un rectangle nu et entouré de hauts murs. Contre le mur du fond, et séparée de lui 5 par un espace étroit, on voyait la butte qui portait d'habitude les cibles. La lumière du matin était nette et triste. Un à un les condamnés cessèrent de chanter. Ils venaient d'apercevoir à quelques pas six mitrailleuses. Un lieutenant de SS, très maigre, qui commandait le peloton d'exécution, regarda sa montre. 10

L'étudiant aspirait de toutes ses forces l'air frais et tirait nerveusement sur sa petite moustache.

"Je ne veux pas courir devant les mitrailleuses, . . . je ne veux pas . . . ," se disait Gerbier.

Les autres, comme fascinés, regardaient le lieutenant SS. Il 15 cria un ordre. Des soldats détachèrent les chaînes des condamnés. Elles tombèrent avec un bruit sourd sur la terre. Gerbier trembla de se sentir tout à coup si léger. Il eut l'impression que ses jambes étaient toutes neuves, toutes jeunes, qu'il fallait les essayer sans attendre, qu'elles demandaient à courir, qu'elles allaient l'emporter 20 comme des ailes. Il regarda ses compagnons. Leurs muscles tremblaient de la même impatience. L'étudiant surtout se contenait avec peine. Gerbier regarda l'officier SS. Celui-ci tapotait une cigarette sur son pouce droit. Il avait des yeux froids, sans expression. 25

"Il sait très bien ce que veulent mes jambes," pensa brusquement Gerbier. "Il se prépare à nous voir courir devant les mitrailleuses. Un spectacle de choix."

L'officier regarda sa montre et s'adressa aux condamnés dans un français très distinct: 30

— Dans une minute vous allez vous placer le dos aux mitrailleuses et face à la butte. Nous n'allons pas tirer tout de suite. Nous allons vous laisser courir et vous donner une chance: ceux qui arriveront derrière la butte seront exécutés plus tard, avec les prochains condamnés. 35

L'officier avait parlé d'une voix forte et mécanique. Ayant fini, il alluma sa cigarette.

— On peut toujours essayer d'y arriver. On n'a rien à perdre, dit le paysan au rabbin.

Ce dernier ne répondit pas, mais il mesurait des yeux la distance qui le séparait de la butte. Sans le savoir, l'étudiant et le jeune Breton faisaient de même.

Les soldats alignèrent les sept hommes, comme l'officier l'avait ordonné. Et ne voyant plus les mitrailleuses mais les sentant dans son dos, Gerbier fut parcouru d'une contraction étrange. Un ressort en lui semblait le jeter en avant.

— Allez . . . dit le lieutenant de SS.

L'étudiant, le rabbin, le jeune Breton, le paysan, se lancèrent tout de suite. Le communiste, Gerbier et le châtelin ne bougèrent pas. Ils se refusaient à offrir le spectacle de leur peur. Mais ils avaient l'impression de se balancer d'avant en arrière, comme s'ils cherchaient un équilibre entre deux forces opposées.

"Je ne veux pas . . . je ne veux pas courir . . . , " se répétait Gerbier.

Le lieutenant de SS tira trois balles de revolver le long des joues de Gerbier et de ses compagnons. Et l'équilibre fut rompu . . . les trois condamnés suivirent leurs camarades dans leur course folle.

Gerbier savait bien que cette course qui l'emmenait dans la direction de la butte ne servait à rien. Personne jamais n'était revenu vivant du champ de tir. Il n'y avait même pas de blessés. Les mitrailleurs connaissaient leur travail.

A chaque balle qui passait près de lui, Gerbier courait plus vite. Son esprit devenait confus. Son corps allait plus vite que sa pensée. Bientôt il ne serait plus qu'un lapin fou de peur. C'était ce que le lieutenant SS attendait: faire d'eux des lapins. Gerbier s'interdisait de regarder la butte. Il ne voulait pas de cet espoir. Regarder la butte, c'était la mort, et il n'acceptait pas la mort. Tant qu'on pense, on ne peut pas mourir.

Et puis soudain ce fut l'obscurité. Une fumée épaisse et noire recouvrit tout le champ de tir. Les oreilles de Gerbier bourdonnaient tellement qu'il n'entendit pas les explosions des grenades fumigènes. Mais il comprit soudain que toute cette fumée allait le sauver. Et comme il était le seul qui n'avait jamais accepté l'état de mort, il fut le seul à utiliser le brouillard.

Les autres condamnés s'arrêtèrent net. Gerbier, lui, continua sa course; il donna tout son souffle, toute sa force. Maintenant il ne pensait plus du tout. Les rafales de mitrailleuses se suivaient, l'entouraient, mais les mitrailleurs ne pouvaient plus voir où ils tiraient. Une balle le blessa au bras. Une autre lui brûla la cuisse. Il courut plus vite. Il dépassa la butte. Derrière était le mur. Et sur se mur, Gerbier vit . . . c'était certain . . . une corde . . .

Sans s'aider des pieds, il monta à la corde, comme un gymnaste, et se trouva au sommet du mur. A quelques centaines de mètres il vit . . . c'était certain . . . une voiture. Il sauta, il vola . . . on l'attendait, le moteur tournait, la voiture partit. A l'intérieur il y avait ses amis, ses sauveurs, Mathilde et Jean-François.

Le chauffeur conduisait très bien, très vite. Gerbier parlait, et Jean-François, et Mathilde. Jean-François disait que ce n'avait pas été difficile: il avait toujours été bon lanceur de grenades. L'important était de bien minuter l'action, comme l'avait fait Mathilde. Et Mathilde disait que c'était aisé, avec les renseignements qu'on avait eus.

Gerbier écoutait, répondait. Mais tout cela n'était que superficiel. Il ne pensait pas alors à ses compagnons. Il pensait au lieutenant de SS qui avait été si certain de le faire courir comme les autres devant les mitrailleuses, à la manière d'un lapin affolé. Une seule question, une question capitale obsédait l'esprit de Gerbier.

"Et si je n'avais pas couru? . . . "

Joseph Kessel

79

On n'est jamais si heureux ni si malheureux qu'on s'imagine.
La Rochefoucauld

La plus grande force et la plus grande faiblesse de l'homme
est de ne pouvoir rester longtemps malheureux.
Chateaubriand

Thanatos Palace Hotel

Dix-neuf cent vingt-neuf. C'était la crise. Jean Monnier venait
d'apprendre qu'il était ruiné et que sa femme l'abandonnait. Il lui
restait un peu moins de six cents dollars: de quoi vivre deux mois,
trois mois peut-être. Et puis après, que ferait-il?

5 Il regarda par la fenêtre. Presque chaque jour, depuis une
semaine, on lisait dans les journaux des récits de suicides: ban-
quiers, commis, spéculateurs préféraient la mort à une bataille
déjà perdue. Il y pensait aussi; quelles raisons avait-il de continuer
à vivre? Il serait bien plus simple de sauter du vingtième étage,

10 dans quelques secondes tout serait fini. Mais une préoccupation le
retenait: le choc ne le tuerait peut-être pas, qui sait?

Il examina son courrier. Une enveloppe attira son attention:
"Thanatos Palace Hotel, New Mexico".

— Qui m'écrit de cette adresse bizarre? dit-il à haute voix.

15 Il lut la lettre avec quelque surprise:
"Cher Monsieur Monnier,

Nous nous adressons à vous aujourd'hui parce que nous
savons que nos services pourront vous être utiles.

Vous avez certainement remarqué que, dans certaines circon-

20 stances particulièrement hostiles, la vie semble devenir impossible,
et que l'idée de la mort apparaît alors comme une délivrance.

Fermer les yeux pour toujours, s'endormir, ne plus se réveiller,
ne plus entendre les questions, les reproches . . . Beaucoup d'entre
nous ont fait ce rêve . . . Pourtant, à part quelques cas très rares,

25 les hommes n'osent pas toujours se suicider: le plus souvent, la
peur d'un "accident" les arrête. Le suicide est un art, pour y réussir
il faut de l'experience.

80

Cette expérience, cher M. Monnier, nous sommes prêts à vous l'apporter. Propriétaires d'un hôtel situé à la frontière des Etats-Unis et du Mexique, nous offrons à nos frères humains qui, pour des raisons sérieuses, irréfutables, désirent quitter cette vie, les moyens de le faire sans souffrance. 5

Au Thanatos Palace Hotel, la mort vous arrivera dans votre sommeil. Notre technique, acquise au cours de quinze années de succès ininterrompus (nous avons reçu, l'an dernier, plus de deux mille clients), nous permet de garantir des résultats immédiats. Ajoutons que, pour les visiteurs tourmentés par de légitimes 10 scrupules religieux, nous supprimons, par une méthode ingénieuse, toute responsabilité morale.

Nous savons très bien que la plupart de nos clients disposent de peu d'argent. Aussi avons-nous essayé, sans jamais sacrifier le confort, de ramener les prix du Thanatos au plus bas niveau 15 possible. Il vous suffira de déposer, en arrivant, trois cents dollars. Cette somme couvrira toutes vos dépenses pendant votre séjour chez nous, séjour dont la durée doit rester pour vous inconnue, paiera aussi les funérailles, et enfin l'entretien de la tombe.

Il importe d'ajouter que le Thanatos est situé dans une région 20 naturelle de grande beauté, qu'il possède quatre tennis, un golf de dix-huit trous et une piscine olympique, et que sa clientèle est composée de personnes des deux sexes d'un milieu social raffiné. Les voyageurs sont priés de descendre à la gare de Deeming, où l'autocar de l'hôtel viendra les chercher. Ils sont priés d'annoncer leur 25 arrivée, par lettre ou câble, au moins deux jours à l'avance. Adresse télégraphique: THANATOS — CORONADO — NEW MEXICO.''

Jean Monnier fit le voyage . . .

— Prochaine station: Deeming, dit à Jean Monnier le nègre du Pullman. 30

Le Français rangea ses livres et ferma ses valises. La simplicité de son dernier voyage l'étonnait. Le train stoppa.

— Thanatos, Sir? demanda le porteur indien qui courait le long des wagons.

Déjà cet homme avait les bagages de deux jeunes filles blondes 35 qui le suivaient.

"Est-il possible, pensa Jean Monnier, que ces filles charmantes viennent ici pour mourir?"

Elles aussi le regardaient, très graves, et murmuraient des mots qu'il n'entendait pas.

5 Le chauffeur de l'autocar, qui portait un uniforme gris, était un gros homme. Jean Monnier s'assit à côté de lui, par discrétion, et pour laisser seules ses compagnes. En cours de route le Français essaya de faire parler son voisin:

— Il y a longtemps que vous êtes le chauffeur du Thanatos?

10 — Trois ans, grommela l'homme.

— Cela doit être une étrange place.

— Etrange? dit l'autre. Pourquoi étrange? Je conduis ma voiture. Qu'y a-t-il là d'étrange?

— Les voyageurs que vous amenez redescendent-ils jamais?

15 — Pas souvent, dit l'homme. Pas souvent . . . mais cela arrive. J'en suis un exemple.

— Vous? Vraiment? Vous étiez venu ici comme . . . client?

— Monsieur, dit le chauffeur j'ai accepté ce travail pour ne plus parler de moi, et cette route est dangereuse. Ne me posez 20 pas d'autres questions s'il vous plaît.

Deux heures plus tard, le chauffeur, sans un mot, lui montra du doigt, sur le plateau, la silhouette du Thanatos.

Les papiers qui furent tendus aux trois arrivants étaient remplis de questions et de notes explicatives. Il était recommandé 25 d'indiquer avec une grande précision la date et le lieu de naissance, les personnes à prévenir en cas d'accident:

"Prière de donner au moins deux adresses de parents ou d'amis, et surtout de recopier à la main, dans votre langue usuelle, la formule 'A' ci-dessous:

30 'Je, soussigné,   , sain de corps et d'esprit, certifie que c'est volontairement que je renonce à la vie et décharge de toute responsabilité, en cas d'accident, la direction et le personnel du Thanatos Palace Hotel . . . ''

Assises l'une en face de l'autre à une table voisine, les deux 35 jolies filles recopiaient avec soin la formule 'A' et Jean Monnier remarqua qu'elles avaient choisi le texte allemand.

Henry M. Boerstecher, directeur, était un homme tranquille, aux lunettes d'or, très fier de son établissement.

— L'hôtel est à vous? demanda Jean Monnier.

— Non, Monsieur, l'hôtel appartient à une Société Anonyme, mais c'est moi qui en ai eu l'idée et qui en suis directeur à vie.

— Et comment n'avez-vous pas les plus graves ennuis avec les autorités locales? 5

— Des ennuis? dit Mr. Boerstecher, surpris et choqué. Mais, Monsieur, nous ne faisons rien de contraire à nos devoirs d'hôteliers. Nous donnons à nos clients ce qu'ils désirent, tout ce qu'ils désirent, rien de plus. D'ailleurs, Monsieur, il n'y a pas ici d'autorités locales. Ce territoire est si mal délimité que personne ne sait exactement 10 s'il est au Mexique ou aux Etats-Unis.

— Et jamais les familles de vos clients ne vous poursuivent?

— Nous poursuivre! s'écria Mr. Boerstecher, indigné, et pourquoi, grand Dieu? Devant quels tribunaux? Les familles de nos clients sont trop heureuses, Monsieur, de voir se terminer sans 15 publicité des affaires qui sont délicates et même, presque toujours, pénibles. Non, non, Monsieur, tout se passe ici gentiment, correctement, et nos clients sont pour nous des amis. Vous plairait-il de voir votre chambre? Ce sera, si vous le voulez bien, le 113. Vous n'êtes pas superstitieux? 20

— Pas du tout, dit Jean Monnier. Mais j'ai été élevé religieusement et je vous avoue que l'idée d'un suicide me déplaît . . .

— Mais il n'est pas et ne sera pas question de suicide, Monsieur! dit Mr. Boerstecher d'un ton si autoritaire que Jean Monnier n'insista pas. Sarconi, vous montrerez le 113 à M. Monnier. Pour 25 les trois cents dollars, Monsieur, vous aurez l'obligeance de les donner, en passant, au caissier dont le bureau est voisin du mien.

— A quelle heure est le dîner?

— A huit heures trente, Sir, dit le valet.

— Faut-il s'habiller? 30

— La plupart des gentlemen le font, Sir.

— Bien! Je m'habillerai . . . préparez-moi une cravate noire et une chemise blanche.

Lorsqu'il descendit dans le hall, il ne vit en effet que femmes en robes décolletés et hommes en smoking; Mr. Boerstecher vint 35 au-devant de lui:

83

— Ah! Monsieur Monnier, je vous cherchais. Puisque vous êtes seul, j'ai pensé que peut-être il vous serait agréable de partager votre table avec une de nos clientes, Mrs. Kirby-Shaw.

Monnier fit un geste d'ennui:

5 — Je ne suis pas venu ici, dit-il, pour mener une vie mondaine . . . pourtant . . . pouvez-vous me montrer cette dame sans me présenter?

— Certainement, Monsieur Monnier. Mrs. Kirby-Shaw est la jeune femme en robe de satin blanc qui est assise près du piano et 10 feuillette un magazine. C'est une dame bien agréable, de bonnes manières, intelligente, artiste.

Mrs. Kirby-Shaw était une très jolie femme. Ses yeux étaient tendres, spirituels. Pourquoi diable une femme aussi plaisante voulait-elle mourir?

15 — Est-ce que Mrs. Kerby-Shaw . . . ? Enfin cette dame est-elle une de vos clientes pour les mêmes raisons que moi?

— Certainement, dit Mr. Boerstecher. Et il insista: Cer-tai-ne-ment.

— Alors présentez-moi.

20 Quand le dîner, simple mais excellent et bien servi, se termina, Jean Monnier connaissait la vie de Clara Kirby-Shaw. Mariée avec un homme riche, d'une grande bonté, mais qu'elle n'avait jamais aimé, elle l'avait quitté, six mois plus tôt, pour suivre en Europe un jeune écrivain, séduisant et cynique, qu'elle avait rencontré à New-25 York. Ce garçon, qu'elle avait cru prêt à l'épouser dès qu'elle aurait obtenu son divorce, l'avait abandonnée en Angleterre.

Elle avait alors espéré amener son mari, Norman Kirby-Shaw, à la reprendre, mais il s'était montré inflexible. Après plusieurs tentatives humiliantes et vaines, elle avait, un matin, trouvé dans 30 son courrier la lettre du Thanatos et compris que là était la seule solution, immédiate et facile, de son douloureux problème.

Quand elle eut entendu le récit de Jean Monnier, elle le blâma beaucoup:

— Mais c'est presque incroyable! dit-elle. Comment? Vous 35 voulez mourir parce que vous avez moins d'argent? Ne voyez-vous pas que dans un an, deux ans, trois ans ou plus, si vous avez le courage de vivre, vous aurez oublié, et peut-être réparé, vos pertes?

— Mes pertes ne sont qu'un prétexte. Elles ne seraient rien, en effet, s'il me restait quelque raison de vivre. Mais je vous ai dit que ma femme m'a abandonné. Je n'ai en France, aucune famille; je n'y ai laissé aucune amie. Pour qui vivrais-je maintenant?

— Mais pour vous-même; pour les êtres qui vous aimeront 5 et que vous ne pouvez manquer de rencontrer. Parce que vous avez observé, en des circonstances pénibles, l'indignité de quelques femmes, ne jugez pas injustement toutes les autres!

— Vous croyez vraiment qu'il existe des femmes — je veux dire des femmes que je puisse aimer — et qui soient capables 10 d'accepter, au moins pendant quelques années, une vie de pauvreté et de combat?

— J'en suis certaine, dit-elle. Il y a des femmes qui trouvent à la pauvreté je ne sais quel charme romanesque. Moi, par exemple.

— Vous? 15

— Oh, je voulais seulement dire . . .

La salle à manger était vide. Ils se levèrent de table et sortirent.

Le lendemain matin ils firent ensemble une promenade en montagne. Le soleil brillait, l'air était pur. Jean Monnier se sentait 20 heureux avec sa compagne. "Qu'il fait bon vivre!" pensait-il avec surprise.

Pendant tout le jour, les clients du Thanatos virent le couple se promener sur les rochers, le long du ravin. L'homme et la femme discutaient avec passion. Quand la nuit tomba, ils revinrent vers 25 l'hôtel.

Après le dîner, Jean Monnier, toute la soirée, chuchota dans un petit salon désert, près de Clara Kirby-Shaw, des phrases qui semblaient toucher celle-ci. Puis, avant de remonter dans sa chambre, il chercha Mr. Boerstecher. Il trouva le directeur assis 30 devant un grand registre noir.

— Bonsoir, Monsieur Monnier! Je puis faire quelque chose pour vous?

— Oui, Mr. Boerstecher. Du moins je l'espère. Ce que j'ai à vous dire vous surprendra. Un changement si soudain. Mais la 35 vie est ainsi — je ne veux plus mourir.

Mr. Boerstecher, surpris, leva les yeux:

— Parlez-vous sérieusement, Monsieur Monnier?

— Je sais bien, dit le Français, que je vais vous paraître incohérent, indécis . . . mais n'est-il pas naturel, si les circonstances
5 sont nouvelles, que changent aussi nos désirs? Il y a huit jours, quand j'ai reçu votre lettre, j'étais désespéré, seul au monde. Aujourd'hui, tout est transformé. Et, en fait, c'est grâce à vous, Mr. Boerstecher.

— Grâce à moi, Monsieur Monnier?

10 — Oui, car cette jeune femme en face de laquelle vous m'avez assis à table est celle qui a fait ce miracle. Mrs. Kirby-Shaw est une femme délicieuse, Mr. Boerstecher.

— Je vous l'avais dit, Monsieur Monnier.

— Délicieuse et héroïque. Informée par moi de ma misérable
15 situation, elle a bien voulu accepter de la partager. Cela vous surprend?

— Point du tout, nous avons ici l'habitude de ces coups de théâtre. Et j'en suis enchanté, Monsieur Monnier. Vous êtes encore jeune, très jeune . . .

20 — Donc, si vous n'y voyez point d'inconvénient, nous partirons demain, Mrs. Kirby-Shaw et moi-même, pour Deeming. Reste à régler une question assez délicate — les trois cents dollars que je vous ai payés sont-ils irrémédiablement acquis au Thanatos ou puis-je, pour prendre nos billets de train, en récupérer une
25 partie?

— Nous sommes d'honnêtes gens, Monsieur Monnier. Nous ne faisons jamais payer des services qui n'ont pas été réellement rendus par nous. Demain matin, la caisse établira votre compte, vingt dollars par jour de pension, plus le service, et le reste vous
30 sera remboursé.

— Vous êtes tout à fait courtois et généreux. Ah! Mr. Boerstecher, comment vous remercier! Un bonheur retrouvé, une nouvelle vie.

— A votre service, dit Mr. Boerstecher.

35 Il regarda Jean Monnier sortir. Puis il appuya sur un bouton et dit:

— Envoyez-moi Sarconi.

Au bout de quelques minutes, Sarconi parut.

— Vous m'avez demandé, Signor Directeur?

— Oui, Sarconi. Il faudra, ce soir, mettre les gaz au 113 — vers deux heures du matin.

— Faut-il, signor Directeur, envoyer du Somnial avant le 5 Léthal?

— Je ne crois pas que ce soit nécessaire. Sa conscience est en paix, il dormira très bien. C'est tout pour ce soir, Sarconi.

Comme il sortait, Mrs. Kirby-Shaw parut à la porte du bureau. Elle aussi travaillait pour le directeur. 10

— Entre, dit Mr. Boerstecher. J'allais t'appeler. Ton client est venu m'annoncer son départ.

— Il me semble, dit-elle, que je mérite des compliments. C'est du travail bien fait.

— Très vite, en effet. 15

— Alors c'est pour cette nuit?

— C'est pour cette nuit.

— Pauvre garçon! dit-elle. Il était gentil, romanesque . . .

— Ils sont tous romanesques, dit Mr. Boerstecher.

— Tu es tout de même cruel, dit-elle. C'est au moment précis 20 où ils reprennent goût à la vie que tu les extermine.

— Cruel? C'est en cela au contraire que consiste toute l'humanité de ma méthode. Celui-ci avait des scrupules religieux. Je les ai apaisés. Il mourra heureux, grâce à moi, grâce à toi.

Il consulta son registre. 25

— Demain, repos. Mais après-demain, j'ai de nouveau une arrivée pour toi. C'est encore un banquier, mais un Suédois cette fois. Et celui-ci n'est plus très jeune.

— J'aimais bien le petit Français, dit-elle rêveuse.

— On ne choisit pas le travail, dit sévèrement le directeur. 30 Tiens, voici tes dix dollars, plus dix de prime.

— Merci, dit Clara Kirby-Shaw.

Et, comme elle plaçait les billets dans son sac, elle soupira.

André Maurois

87

Le premier mérite d'un tableau est d'être une fête pour l'oeil.

Delacroix

Les sots depuis Adam sont en majorité.

Casimir Delavigne

Naissance d'un Maître

Le peintre Pierre Doche achevait une nature morte de fleurs dans un pot quand le romancier Paul-Emile Glaise entra dans l'atelier. Glaise observa pendant quelques minutes son ami qui travaillait, puis dit fortement:

5 — Non.

L'autre, surpris, leva la tête.

— Non! reprit Glaise. Non! Tu n'arriveras jamais. Tu as du talent, tu es honnête. Mais ta peinture est plate, mon bonhomme. Ça n'éclate pas, ça ne gueule pas. Dans une exposition de cinq

10 mille toiles, rien n'arrête devant les tiennes le promeneur endormi. Non, Pierre Doche, tu n'arriveras jamais. Et c'est dommage.

— Pourquoi? soupira l'honnête Doche. Je fais ce que je vois: j'essaie d'exprimer ce que je sens.

— Mais mon pauvre ami, il n'est pas question de ça; tu as

15 une femme, mon bonhomme, une femme et trois enfants. Chacun d'eux a besoin de trois mille calories par jour. Il y a plus de tableaux que d'acheteurs, et plus d'imbéciles que de connaisseurs. Or quel est le moyen, Pierre Doche, d'émerger da la foule des artistes inconnus et pauvres?

20 — Le travail, dit Pierre Doche, la sincérité.

— Sois sérieux. Le seul moyen, Pierre Doche, d'avoir du succès avec les imbéciles, c'est de faire des choses énormes. Tu as besoin d'un "truc". Annonce par exemple que tu vas peindre au Pôle Nord. Ou promène-toi habillé en roi égyptien. Fonde une

25 école. Prononce de grands mots obscurs: extériorisation, dynamisme, subconscient, non figuratif. Peint tout en blanc, ou en noir,

88

en cercle, ou en carré. Invente la peinture néo-homérique qui ne connaîtra que le rouge et le jaune, la peinture cylindrique, la peinture octaédrique, la peinture à quatre dimensions . . .

A ce moment, un parfum étrange et doux annonça l'entrée de Mme Kosnevska. C'était une belle Polonaise dont Pierre Doche 5 admirait les yeux violets. Elle s'intéressait, disait-elle, à l'art, mais méprisait la peinture de Doche car le nom de cet honnête artiste n'était jamais mentionné dans les revues d'art coûteuses qu'elle lisait. S'allongeant sur un divan, elle regarda sans enthousiasme la toile commencée, secoua ses cheveux blonds, et sourit avec un peu 10 de dépit:

— J'ai été hier, dit elle de son accent roulant et chantant, voir une exposition d'art nègre. Ah! la sensibilité et la force de ça!

Pierre Doche apporta, pour le lui montrer, un portrait dont il était content. 15

— Gentil, dit-elle du bout des lèvres.

Puis déçue, roulante, chantante, parfumée, elle disparut.

Pierre Doche jeta sa palette dans un coin et se laissa tomber sur le divan: "Je vais, dit-il, me faire inspecteur d'assurances, employé de banque ou agent de police. La peinture est impossible. 20 Au lieu de respecter les maîtres, les critiques encouragent les excentriques. J'en ai assez; je renonce."

Paul-Emile, ayant écouté, alluma une cigarette et réfléchit assez longuement.

— Te sens-tu capable, dit-il enfin, d'annoncer sérieusement à 25 quelques snobs que tu prépares depuis dix ans un renouvellement de ta manière?

— Moi?

— Ecoute. Je vais informer nos "élites", en deux articles bien placés, que tu fondes l'école "idéo-analytique". Jusqu'à toi, dirai-je, 30 les portraitistes, dans leur ignorance, ont étudié le visage humain. Sottise! Non, selon toi, ce qui représente vraiment l'homme, ce sont les idées qu'il évoque en nous. Par exemple le portrait d'un colonel, c'est un fond bleu et or avec cinq énormes galons, un cheval dans un coin, des croix dans l'autre. Le portrait d'un industriel, c'est 35 une cheminée d'usine et un poing fermé sur une table. Comprends-tu, Pierre Doche, ce que tu apportes au monde, et peux-tu me peindre en un mois vingt portraits idéo-analytiques?

Le peintre sourit tristement.

— En une heure, dit-il.

— Essayons donc. Et, quand un admirateur te demanderas
5 des explications, tu prendras un temps, tu allumeras ta pipe, tu
souffleras la fumée au nez du questionneur, et tu diras ces simples
mots obscurs: "Avez-vous jamais regardé un fleuve?"

— Et qu'est-ce que cela veut dire?

— Rien, dit Glaise, mais ils te trouveront génial, et quand
10 ils t'auront découvert, expliqué, exalté, nous raconterons l'aventure
et nous moquerons de leur confusion.

Deux mois plus tard, le vernissage de l'exposition Doche
s'achevait en triomphe.

Chantante, roulante, parfumée, la belle Mme Kosnevska ne
15 quittait plus son nouveau grand homme.

— Ah! disait-elle avec un enthousiasme évident, la sensibilité,
la force de ça! Comment, cher, êtes-vous arrivé à ces synthèses
étonnantes?

Le peintre prit un temps, ralluma sa pipe, souffla la fumée,
20 et dit:

— Avez-vous jamais, Madame, regardé un fleuve?

Et elle le considéra avec une admiration augmentée.

Le jeune et brillant critique d'art Strunski discutait au milieu
d'un groupe: "Très fort! disait-il. Très fort! Mais, dites-moi,
25 Doche, la révélation? D'où vous vint-elle? De mes articles?"

Pierre Doche prit un temps considérable, lui souffla au nez
une fumée triomphante et dit: "Avez-vous jamais, mon cher,
regardé un fleuve?"

— Admirable! approuva l'autre; admirable!

30 A ce moment, un célèbre marchand de tableaux, ayant fait
le tour de l'atelier, prit le peintre par la manche et l'entraîna dans
un coin.

— Doche, mon ami, dit-il, vous êtes un malin. On peut faire
un succès de ceci. Réservez-moi votre production. Ne changez pas
35 de manière avant que je vous le dise, et je vous achète cinquante
tableaux par an . . . Ça va?

Doche, énigmatique, fuma sans répondre.

Lentement l'atelier se vida. Paul-Emile Glaise alla fermer la porte derrière le dernier visiteur. On entendit dans l'escalier un murmure admiratif qui s'éloignait. Puis, resté seul avec le peintre, le romancier mit joyeusement les mains dans ses poches.

5   — Eh bien! mon bonhomme, dit-il, crois-tu que nous les avons eus? As-tu entendu la Kosnevska? Et Strunski? Et les trois jolies jeunes filles qui répétaient: "Si neuf! Si neuf!" Ah! Pierre Doche, je connaissais bien la stupidité humaine, mais ceci passe mes espérances.

10   Et il fut pris d'une crise de rire inextinguible. Le peintre fronça le sourcil et dit brusquement:

    — Imbécile!

    — Imbécile? cria le romancier furieux. Quand je viens de réussir à ridiculiser tous ces soi-disant connaisseurs!

15   Le peintre regarda fièrement les vingt portraits analytiques et dit avec force et certitude:

    — Oui, Glaise, tu es un imbécile. Il y a quelque chose dans cette peinture . . .

    Le romancier contempla son ami avec stupeur.

20   — Celle-là est forte! hurla-t-il. Doche, souviens-toi. Qui t'a suggéré cette manière nouvelle?

    Alors Pierre Doche prit un temps, et, soufflant la fumée de sa pipe, dit avec sérieux:

    — As-tu jamais regardé un fleuve?

André Maurois

Tous les hommes sont fous
Et qui n'en veut point voir
Doit rester dans sa chambre
Et casser son miroir.

Anonyme

Le trop d'attention qu'on a pour le danger
Fait souvent qu'on y tombe.

La Fontaine

Patrouille de nuit

Il était interdit aux officiers de se déplacer seuls, entre les lignes, après la fin du jour.

Le lieutenant Serval, qui achevait de visiter ses avant-postes, sortit de la ferme isolée où était installé le groupe de combat du sergent Dercheu.

— Bigre! La nuit est vite tombée, dit Serval.   5

— Je vais appeler deux hommes pour vous accompagner, mon lieutenant, répondit le sous-officier.

— Non, non, Dercheu, pas aujourd'hui. Voilà trois nuits que personne, ici, n'a dormi. Les hommes sont assez fatigués comme 10
cela. Je rentrerai seul.

— Ce n'est pas sérieux, mon lieutenant, insista Dercheu. Le coin est plein de patrouilles.

— Ne vous en faites pas. Je connais le chemin. On y voit très suffisamment. Et puis, j'ai mon colt . . .   15

Et d'un geste familer, il frappa de la paume son étui-pistolet.

C'était à la fin de janvier. Le ciel était noir, mais la neige éclairait la nuit. Serval, une peau de mouton par-dessus sa vareuse, marchait dans le fossé bordant la route, pour enfouir davantage la résonance de ses pas.   20

"Deux kilomètres, ce n'est rien, pensait-il. Tandis que pour les hommes, ça aurait fait quatre . . ."

Parfois, sa grosse chaussure écrasait une touffe gelée et, malgré lui, l'officier tressaillait à ce craquement d'herbe. La neige et l'ombre augmentaient les distances.   25

"Après le hêtre, la cabane; après la cabane, le poteau blanc; après le poteau, le tournant. . . ."

Serval voyait ses jalons familiers sortir lentement de la nuit.

Le tournant était certainement le point le plus dangereux du trajet. A plusieurs reprises, des accrochages de patrouilles y avaient eu lieu. Serval s'arrêta un instant pour observer.

Rien.

Il repartit. Il portait son colt sur le ventre, bien au milieu du
5 ceinturon, avec le rabat de l'étui retourné pour pouvoir plus rapidement saisir l'arme.

C'était un pistolet automatique de très gros calibre, auquel Serval tenait beaucoup, parce qu'il avait appartenu à son père pendant l'autre guerre.

10 "Un homme touché, même à la main, d'une de ces balles-là, en tombe raide de douleur, avait dit le commandant Serval en remettant le colt à son fils. Prends-en soin. Il m'a sauvé deux fois, dans de sales moments. Et rapporte-le comme je l'ai rapporté. C'est tout ce que je te souhaite."

15 Le lieutenant, tout en marchant, passa la main sur la crosse striée.

Le tournant était franchi. Maintenant, Serval apercevait la haie. Après la haie, ce serait un mur en ruine, perpendiculaire au chemin.

20 A quelques mètres du mur, le lieutenant se plaqua brusquement dans le fossé, en dégageant son pistolet.

Un point de lumière venait d'apparaître sur la gauche, la lueur voilée d'une lampe de poche qu'on allume à ras de terre et qu'on éteint aussitôt.

25 C'était sufisant pour Serval.

— Patrouille ennemie!

Il fut surpris d'avoir inconsciemment chuchoté ces deux mots, comme s'il avait eu quelqu'un à prévenir, derrière lui.

Il chercha à évaluer la distance: cent mètres environ. La
30 patrouille n'avait pas pu l'apercevoir, puisque, depuis le tournant, il avait cheminé à l'abri de la haie. Il passerait quelques minutes ainsi, dans son trou, et après il pourrait repartir. A moins que la patrouille . . .

Il y eut une deuxième lueur, plus proche que celle-ci. La
35 patrouille avançait sensiblement dans sa direction. Combien d'hommes?

Avec des efforts de marin, il discerna, dans la traîtrise neigeuse du champ, trois formes vagues courbées au ras d'un silo, trois ombres qui se suivaient comme des dos de squales.

Serval abaissa le cran de sûreté de son arme.

Une lueur de nouveau. Le silo aboutissait à la route, un peu après le mur. La patrouille ennemie allait déboucher là. Serval, 5 enfoui dans le fossé, se savait invisible: une peau de mouton dans la neige.

"L'avantage est à celui qui tire le premier" se dit-il.

D'avance, il se tassa, comme les animaux avant de bondir.

Là-bas, dans la marche des ombres, il y avait eu une hésita- 10 tion; puis la patrouille, s'étant remise en marche, se trouva cachée par le mur.

L'officier, à présent, guettait la sortie. Il pouvait percevoir les battements de son coeur. Mais il n'avait pas peur.

"Il y a des gens qui ont peur avant," avait-il coutume de dire à ses 15 camarades, "d'autres pendant, d'autres après. Moi, j'ai peur d'après."

En l'occurrence, il était persuadé, bien que seul contre trois, d'avoir l'avantage. A moins . . . à moins qu'une seconde patrouille n'arrivât derrière lui, pour reconnaître le mur par l'autre face.

C'était une manoeuvre parfaitement logique, comme il aurait 20 pu en décider lui-même. Or cette seconde patrouille, si elle existait, n'avait d'autre cheminement que le fossé où il se trouvait.

Il avait une envie aiguë de regarder derrière lui. Mais bouger en ce moment, c'était se trahir; il se contenta d'enfoncer ses souliers dans la neige pour qu'on n'en pût voir briller les clous. 25

Là-bas, à une trentaine de mètres, une ombre venait de réapparaître, au bord du chemin. Serval distinguait très bien les épaules, le casque trapu.

L'ombre se coula dans le fossé, fit un geste du bras, et les deux autres s'engagèrent à sa suite. 30

Le lieutenant voyait avancer la patrouille vers lui; il percevait le frôlement lent des bottes dans la neige.

"Je vais les avoir," pensait-il, "je vais les avoir!"

Il avait complètement oublié l'éventualité d'une autre patrouille; il était entièrement pris par cette partie de vie et de mort qui allait 35

C.S

se jouer entre les ombres et lui. Il se savait excellent tireur, et évaluait les chances.

"Ils sont trois. J'ai neuf balles dans mon chargeur. Et l'avantage de la surprise."

Il y eut un heurt de métal, chez les ombres. Serval tressaillit. 5
"L'imbécile!"

Il avait pensé cela avec désintéressement comme on hausse les épaules devant la faute d'un partenaire.

"Quand ils seront au coin du mur, pas avant. Si je tire avant, je peux les manquer et ils ont le temps de fuir." 10

Le lieutenant ne voyait vraiment bien que la première ombre. Derrière elle, les autres apparaissaient par fragments: un casque, un torse, une jambe . . .

"Si seulement ils pouvaient ne pas rester en file!"

Voici que, comme pour lui complaire, les ombres se rassem- 15 blaient. Elles étaient deux maintenant, marchant côte à côte dans le fossé.

"Au coin du mur . . . quatre balles dans le tas. Je saute; encore trois balles. Je ferai peut-être un prisonnier."

Le moment de tirer approchait. 20

"Au coin du mur," se répéta Serval pour contenir son impatience.

A l'abri de sa manche gauche, il éleva son colt.

Le battement de son bracelet-montre lui parut terrible. Il sentit que son avant-bras qui tenait l'arme se crispait. Il appliqua toute 25 sa volonté à lui rendre sa souplesse. Il assura la deuxième phalange de son index sur la détente. Encore quatre mètres . . . encore trois . . .

La patrouille s'était arrêtée. Serval entendait des chuchotements. "Oh oui . . . faire au moins un prisonnier." 30

Il allait tirer quand la première ombre sauta sur la route, la franchit rapidement et se coula dans le fossé parallèle. Les autres la rejoignirent.

Le lieutenant pensa qu'il était tourné. L'avantage changeait de camp. Il se souleva et vit qu'il s'était trompé: dans le champ 35 d'en face, la patrouille avait repris sa marche silencieuse.

Il y eut une lueur, puis une autre, puis plus rien; et les dos de squales disparurent dans les vagues immobiles de la neige.

Le lieutenant Serval rentra furieux au poste de commandement. Il raconta son histoire.

— Et comme un imbécile, j'ai trop attendu pour tirer. Et ils m'ont filé entre les doigts.

5   — Et une belle croix de guerre manquée! lui dit en riant le sous-lieutenant Dumontier.

Quelques jours plus tard, au cantonnement de repos, les officiers avaient installé une cible contre un mur, dans la cour du mess.

10   — Allez, Serval, à vous l'honneur, lui dit le capitaine. Figurez-vous que vous êtes au coin de votre fameux mur.

Le lieutenant se plaça à quinze pas de la cible. Il éleva son pistolet à hauteur de l'épaule et abaissa lentement le bras, en visant. Un fort déclic se fit entendre.

15   Dumontier se retourna.

— Et bien, mon cher, avec un bruit pareil, vous vous seriez fait repérer l'autre jour.

Serval était devenu très pâle, et sa main tremblait.

— Alors, mon vieux, vous ne tirez pas? demanda le capitaine.
20 Qu'est-ce qui vous arrive?

— Ce qui m'arrive, mon capitaine? Une de ces peurs d'après comme je n'en ai jamais eu. Le coup n'est pas parti.

Et, sortant son couteau, il se mit à dévisser nerveusement la crosse de son arme. Le ressort du colt venait de se casser.

Maurice Druon

98

Il y a des garçons qui ne pensent pas toujours aux filles,
mais quand ils pensent, ils pensent aux filles . . .

Anonyme

Une Fille Blonde

La nuit était tombée lorsqu'on les descendit de l'ambulance. La
langue gutturale qu'on parlait autour d'eux, et à laquelle ils n'enten-
daient pas mot, contribuait à entretenir le sentiment d'irréalité qui
les enveloppait depuis qu'une zébrure chaude dans les reins, une
montée brutale du sol vers leur face, ou bien leur chute dans une 5
ombre soudaine, leur avaient juste laissé le temps de penser: "Ça
y est!"

Ensuite, des images mal raccordées liaient d'une sorte de pointillé, comme sont marquées sur les cartes les routes incertaines, leur
lointain passé d'hommes valides à ce présent sans densité. Bran- 10
cardiers en uniformes ennemis aparaissant au-dessus d'eux avec des
airs d'exécuteurs — mais à ce moment là, ils eussent été saisis d'une
espérance fraternelle même à l'approche du bourreau —, plongées
dans le coma, postes de secours de première ligne, masques de gaz
froid ou contact étrangement peu douloureux des ciseaux de chirur- 15
gien débridant les chairs, coulées de plâtre autour des membres,
infirmeries de transit n'offrant aux regards que les taches de leurs
plafonds, chariots dont le roulement caoutchouté se répercutait
dans la nuque, odeur de formol, d'éther et de linge souillé, obscurité
des camions piquetée seulement des étincelles de la douleur, tout 20
cela aboutissait à cette infirmière et à cette chambre, d'une blancheur crue, où l'on venait de les allonger côte à côte.

Sur les huit blessés, deux seulement se connaissaient, si
l'on peut estimer se connaître parce qu'on a appartenu au même
régiment. 25

Au moins ces deux-là pouvaient-ils citer les mêmes noms
d'officiers, en s'écriant:

— Ah oui! Le grand brun qui était tellement vache!

Et cela leur autorisait l'illusion bienfaisante de l'amitié. Failleroy et Louviel s'efforçaient donc de se faire croire mutuellement qu'ils s'étaient souvent croisés dans la cour du quartier, et qu'ils avaient bu côte à côte au comptoir des mêmes bistros.

5   — C'est pas toi qui m'as fait retourner parce que mon manteau n'était pas brossé, une fois que tu étais au poste de garde?

— Si, c'est bien possible. En effet je me souviens . . .

— C'est marrant, tout de même!

Failleroy avait eu le pied enlevé par une mine; l'os de sa jambe 10 s'était ouvert comme une fleur de lis. Failleroy occupait le premier lit, près de la fenêtre obturée par un rideau noir.

Le gros Louviel était étendu tout à plat, avec le buste, la nuque, la tête maintenus dans une cuirasse de plâtre. La lumière plafonnière lui heurtait le regard. Il regrettait d'être séparé de Failleroy 15 par un autre blessé, Renaudier, dont tout le haut de la face avait été scié par un éclat de bombe. Renaudier ignorait encore qu'il était aveugle, mais il avait l'impression irritante que ses cheveux lui étaient tombés sur le visage, qu'ils avaient été pris, par mégarde, sous le pansement.

20   — C'est quand même drôle d'être enfermés comme ça dans une chambre et de ne pas savoir où l'on est, dit Mazargues qui occupait le sixième lit.

Comment s'appelait la ville, quelle forme avait le bâtiment, et se trouvait-il même dans une ville, ou bien n'était-ce pas un château 25 transformé en hôpital avec une grande croix rouge sur le toit? Il semblait bien, pourtant, qu'il vînt de l'extérieur des rumeurs de ville.

— En tout cas, les gars, reprit Mazargues, vous l'avez vue l'infirmière? Toute moche qu'elle est . . .

Il acheva sa phrase par une grosse obscénité. Mazargues était 30 un Méridional aux yeux brillants et aux oreilles décollées; on lui avait extrait des fesses et des reins une demi-douzaine d'éclats d'obus.

La lumière fut mise en veilleuse, et ceux qui le purent s'endormirent, et les autres flottèrent sur les ondulations pénibles d'une 35 demi-somnolence.

Longtemps, Failleroy contempla à côté de lui l'épais rideau de toile noire qui couvrait la fenêtre et qui, pareil au voile obscur à travers lequel on parle aux religieuses cloîtrées, semblait, dans

100

ce cube laiteux, masquer l'entrée du domaine de la mort. Failleroy souffrait, stupidement, dans les chairs absentes de son pied emporté.

Mazargues se retenait de gémir au seul contact de sa chemise de nuit.

Le lendemain matin, la même infirmière entra et releva le 5 rideau.

Une belle clarté pénétra dans la chambre et, du même coup, les blessés eurent conscience de la mauvaise senteur qui régnait dans la pièce.

Failleroy s'appuya sur les paumes, pour s'asseoir à moitié. Ses 10 cheveux châtains et courts étaient collés de fièvre, et il avait une fausse bonne mine.

— Alors, Failleroy, comment c'est dehors? demanda Louviel du fond de sa cuirasse crayeuse.

— Dehors? . . . dit Failleroy. 15

Il frotta ses yeux.

— Oh! ces cheveux, toujours ces cheveux sur la figure, murmura au même instant Renaudier, dont seule la bouche sortait des pansements. Enfin, c'est encore une veine qu'on ait mis près de la fenêtre un qui puisse regarder. J'espère bien que dans quelques 20 jours, tout de même . . .

Une gêne passa sur la chambre, et Failleroy, tournant la tête vers les vitres, dit:

— Dehors, ce n'est pas mal. Il ne faut pas se plaindre; on n'est pas dans un mauvais coin. Il y a un petit jardin, et puis après 25 il y a la rue, et puis après d'autres maisons.

Il continua de décrire le paysage: les maisons étaient basses, bâties en briques. Un vieux bonhomme passait dans la rue, lisant son journal. Des ménagères allaient aux commissions.

Attentifs, silencieux, les autres blessés écoutaient Failleroy. 30

Le roulement d'un véhicule ébranla les vitres.

— C'est un gros camion militaire avec des gars qui ont des fusils, dit Failleroy.

— Et les femmes, dans la rue, comme elles sont, les femmes? demanda Mazargues. 35

Failleroy eut un rire bref qui découvrit ses belles dents blanches.

— Il n'y a pas de quoi t'énerver, mon gars, dit-il. Elles sont pas bien jolies, je t'assure.

Failleroy se recoula dans ses draps et ferma les yeux. Un moment après, il se redressa, regarda de nouveau vers l'extérieur. Soudain il s'écria:

— Eh bien si, tiens, voilà une belle fille!

— Ah oui! dit Mazarques. Comment est-elle?

— Blonde, avec une natte tournée en chignon derrière la tête. Mais jolie, hein!

C'était le moment où le médecin entrait pour faire son inspection. L'absence de communication de langage avec les blessés le rendait pareil à un vétérinaire qui interroge par palpation, et doit fournir lui-même la réponse. L'infirmière, avec un hochement de tête, recueillait ses indications. Tandis qu'il examinait la plaie du dernier allongé, on entendit un bref gémissement maintenu entre des dents serrées.

— Je vais tout de même pas gueuler devant ces salauds-là, grommela le blessé quand son pansement fut refait.

— Faut dire ce qui est, salauds ou pas salauds, ils nous soignent, dit un autre.

— Oui, c'est marrant, prononça Louviel; ils font tout ce qu'ils peuvent pour nous faire sauter en pièces détachées, et puis après ça . . .

La matinée passa sans incident. Quelques minutes après midi, Failleroy dit:

— Tiens, voilà la blonde de ce matin! Elle regarde par ici.

Il fit un geste avec sa main levée, une sorte de "bonjour" muet qu'accompagnait un sourire.

— La petite garce, elle a fait exprès de détourner la tête, dit Failleroy en se réétendant.

Vers deux heures, il annonça de nouveau le passage de la fille blonde; elle évitait de lever les yeux.

— J'ai idée que c'est une dactylo, confia Failleroy à Louviel.

A six heures, elle reparut encore et, cette fois, Failleroy, triomphant, assura qu'elle avait longuement regardé la fenêtre.

Il fallut qu'il la décrivit dans le détail. Comment avait-elle la poitrine faite, et les jambes?

— Les jambes? Ah ça, les jambes, j'ai pas fait attention.

La nuit replongea les hommes dans leurs torpeurs anxieuses. Au matin, la levée du voile noir leur rendit l'espoir. Et pour plusieurs jours, en dehors du rythme des soins médicaux — prise de température, inspection du major, pansements, repas, — un temps étrange s'installa, comme battu par une nouvelle horloge, où les quatre passages de la fille blonde formaient la grande croix du cadran.

— Failleroy, tu es amoureux, disaient les autres.

— Mais non, vous voyez bien que je rigole.

Mais les sept autres aussi étaient amoureux. On eût dit que l'intrigue qui s'ébauchait à travers la vitre fût la leur propre. Il leur semblait qu'ils fussent là depuis l'éternité, et que la fille blonde, invisible à tous sauf un, fût déjà passée mille fois.

Plus rien d'autre ne les intéressait. Si parfois Failleroy sommeillait vers midi, il se trouvait toujours quelqu'un pour lui crier:

— Eh! dis donc, Faille! Ça va être l'heure.

On savait que Failleroy, dans le civil, était tailleur.

—Tu pourras l'habiller, ta blonde!

Failleroy pensait; "Comment est-ce que je vais me tenir assis sur ma table, maintenant, avec mon pied en moins?"

Mazargues n'en pouvait plus. Il crevait de désir, de jalousie, d'orgueil blessé. Il était prêt aux pires trahisons. Il priait pour sortir de l'hôpital avant Failleroy. "Et puis, sur ses béquilles, il aura l'air de quoi?" Tandis qu'il se voyait, lui, le rein encore un peu raide, mais l'épaule haute, l'air arrogant et conquérant, déambuler dans les rues de la ville.

Il ne cessait de raconter des histoires obscènes et invraisemblables pour attirer l'attention sur lui.

On l'interrompait régulièrement d'un: "Ta gueule, Mazargues!" surtout quand il commençait de mêler la fille blonde à ses divagations.

— C'est dommage qu'on ne connaisse pas un mot de leur sacré jargon, disait Louviel à Failleroy. Sinon, tu pourrais lui écrire des choses gentilles, sur un grand papier, et puis les lui montrer.

Alors, Failleroy eut l'idée de découper un coeur dans une vieille feuille de permission; à trois passages de la fille blonde, il tendit le papier vers la vitre.

Le lendemain, Failleroy eut son grand sourire clair qui atténua un peu l'espèce de fadeur bouffie qui s'installait sur son visage.

— Elle a mis une broche en forme de coeur sur la robe! s'écria-t-il.

5 — C'est quelle robe?

— Celle à fleurs vertes.

Deux jours se passèrent encore. Puis, un matin, Failleroy, pressé de questions, comme d'habitude, répondit:

— Non, elle n'est pas passée.

10 Ce fut justement ce jour-là que le médecin, palpant la jambe de Failleroy, au-dessus du moignon, hocha la tête d'un air intéressé, regarda plus attentivement la feuille de température, et fit à l'infirmière un signe de paupières qui signifiait: "Hein, je l'avais bien dit?"

15 Le même soir, Failleroy, les yeux tournés vers la fenêtre, murmura:

— Ce n'est pas drôle, tout ça.

— Quoi donc? dit le gros Louviel.

Failleroy ne répondit pas.

20 — Alors, quoi, ce soir non plus tu ne l'as pas vue, ta fille? insista Louviel.

— Si . . . elle est passée . . . avec un autre.

— C'est peut-être son frère!

Un grand chagrin tomba sur la chambre.

25 "Qu'elle ait un gars, au fond, c'est naturel, pensait Louviel. Mais elle aurait tout de même pu éviter de passer là, devant."

Durant la nuit, Failleroy gémit à plusieurs reprises, sans s'en rendre compte. Le lendemain, il ne sortit pas de sa torpeur, ne regarda pas une seule fois par la fenêtre, et toute la chambre res-
30 pecta sa tristesse.

Et puis, le soir, à la surprise de tous sauf du médecin, il mourut.

Son corps fut emporté et l'on mit des draps frais à son lit.

Mazargues appela du geste l'infirmière, et lui fit comprendre
35 qu'il voulait prendre le lit de Failleroy.

L'infirmière avait pour Mazargues une sympathie visible; il fut changé de place.

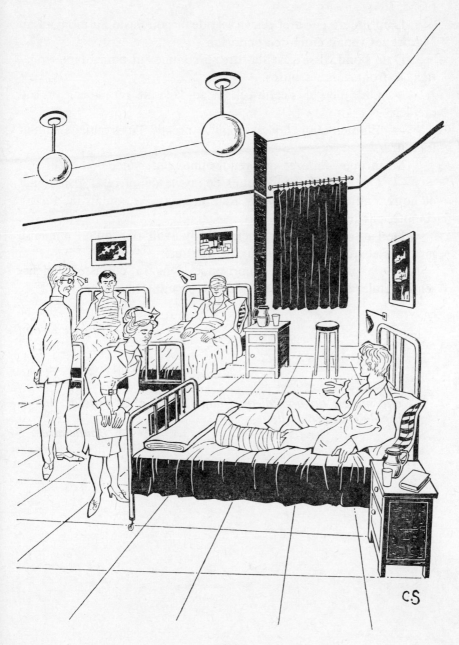

De toute la nuit, Mazargues put à peine fermer l'oeil. Son imagination lui amenait par vagues des fleurs vertes, des cheveux blonds . . .

L'infirmière entra et releva le rideau noir juste au moment au
5 Mazargues venait enfin de s'endormir.

D'un bond, il se réveilla, dressé comme un point d'interrogation, le front vers les vitres.

— Oh! merde! s'écria-t-il en se laissant retomber sur son oreiller.

10 — Eh bien quoi? Qu'est-ce qui te prend? Tu es malade? dirent les autres.

Mazargues s'efforça de prendre une contenance détachée.

— Oui, oh! je m'en doutais depuis le début qu'il se moquait de nous, Failleroy, dit-il. Mais, tout de même, je voulais me rendre
15 compte, par moi-même.

De l'autre côté de la fenêtre, il n'y avait rien qu'un immense mur gris et quelques monceaux de détritus.

Alors le gros Louviel, emprisonné dans sa cuirasse blanche, sentit s'étaler sur son visage la stupide humidité des larmes.

Maurice Druon

Cette vie est un hôpital ou chaque malade est possédé du désir de changer de lit.

Baudelaire

*Les circonstances nous révèlent aux autres et plus encore à
nous-mêmes.*

La Rochefouchauld

Le Médecin de Campagne

A 11 heures moins le quart cette nuit-là, on frappa à la porte du
médecin. Depuis deux mois, il était recherché par la milice et se
cachait dans la maison.

Il ouvrit la porte. C'était Le Chat, un ami de la Résistance.

— Je n'entre pas, dit Le Chat; il y a un gars qui est très 5
malade, à Coutine; viens le voir. Même si tu ne peux rien faire,
c'est quelque chose que tu viennes. Viens.

Le médecin réfléchit, puis dit: "Ça va bientôt être le couvre-
feu. Comme ils me cherchent, c'est un peu dangereux pour moi.
Si je tombe sur la patrouille . . . 10

— Il n'y a pas grand risque, dit Le Chat; ou bien veux-tu
qu'on t'accompagne avec des gars armés?

— Non, dit le médecin, non, après tout ça ne vaut pas la
peine; et il alla prendre une petite trousse dans sa chambre.

En repassant par la cuisine il prit deux morceaux de sucre 15
dans le sucrier et les mit dans sa poche.

Ils suivirent l'ombre des arbres sur la route éclairée par la
lune. Le silence était accablant. Ils avaient hâte d'arriver au chemin,
le long du torrent, pour être accompagnés par un bruit rassurant.
Le médecin avait les mains dans les poches et la petite trousse sous 20
le bras. Ils atteignirent le torrent.

Ils se demandaient de quoi ils avaient peur. Il ne faisait même
pas sombre; mais peut-être la lune était-elle encore plus dangereuse.

— Par moments on est idiot, dit Le Chat, on a peur sans
savoir pourquoi. 25

— Pour moi, c'est un peu différent, dit le médecin, ils me
cherchent depuis deux mois.

— Avec photo? dit Le Chat.

— Oui, avec photo, dit le médecin; c'était facile, et puis qui ne me connaît pas ici? Seulement ils ne peuvent pas, pour me trouver, vider toutes les maisons du village. Ils ne sont pas si nombreux, après tout, et je ne suis pas si important.

5   — Enfin, tu pourras toujours calmer le gars, le faire taire. Par moments il crie, il va attirer l'attention sur la maison.

— Je n'ai rien pour le calmer, dit le médecin, pas de morphine. Tout ce que je peux faire, c'est lui donner l'impression qu'on s'occupe de lui: c'est tout de même quelque chose.

10   — On n'a rien d'autre, dit Le Chat.

Ils marchèrent encore silencieux un moment, passèrent le long d'un mur de pierres sèches. Ils s'arrêtèrent devant une barrière en bois fixée avec du fil de fer. Le Chat la leva et la déplaça sans bruit, juste pour le passage.

15 .   — C'est là, dit-il.

Une odeur de fumier et de foin venait jusqu'à eux. Un cochon grogna, tout près.

— Les gens n'habitent pas là, dit Le Chat. Ils y ont seulement le cochon. Ils ne viennent que pour le soigner.

20   L'enclos du cochon était contre une baraque en bois. Ce coin de la cour était absolument caché par l'ombre des arbres. Le Chat ouvrit la porte de la baraque et entra le premier. Il avait pris par le bras le médecin qui hésitait dans l'obscurité. Quand ils furent tous les deux dans la pièce, il referma la porte et se baissa. Le

25 médecin entendit un bruit de papier froissé.

— Qu'est-ce que c'est? dit-il

— C'est du papier que je mets sous la porte à cause de la lumière, murmura Le Chat.

Il alluma l'électricité, une vieille lampe très faible. Dans la

30 pièce, à gauche en entrant, un garçon était couché sur de la paille. Le médecin se pencha. Le type respirait lentement et, à chaque inspiration, modulait un petit gémissement mélancolique, comme une plainte d'enfant qui rêve.

— Je ne vois pas très bien ce qu'il peut avoir, dit-il enfin,

35 c'est vague . . .

Dans ses moments de lucidité il dit qu'il doit avoir une crise d'urémie. Il m'a supplié d'aller te chercher ce soir. Enfin, pas toi spécialement, il disait: un médecin sûr, un des nôtres. Il voit des traîtres partout.

— C'est peut-être un empoisonnement du sang, dit le médecin, mais vraiment, comme ça, on ne peut rien dire, ni rien faire. Tu sais d'où il vient?

— Il est arrivé ici il y a quinze jours seulement; d'après ce que j'ai compris il est venu par ici parce que ça lui rappelait son enfance. On l'a mis là en attendant de le prendre avec nous, en observation en quelque sorte. Les gens lui donnaient à manger. Il y a deux jours il est tombé malade. On lui avait dit de ne pas trop se montrer. Peut-être qu'il aurait fallu le prendre avec nous plus tôt, mais on ne savait pas exactement qui il était. Il y a des types qui viennent comme ça, de la part de Paul ou de Jacques. Qui c'est, ces types? On ne peut pas les prendre tout de suite, il faut les garder en observation pendant quelque temps.

Le médecin regardait le visage immobile du malade. Il ne voyait pas le visage, mais seulement l'immobilité du visage. Une immobilité tendue et comme forcée.

— Je peux fumer? dit Le Chat.

— Bien sûr, dit le médecin.

Lui-même prit une cigarette et Le Chat lui donna du feu. Il vit que sa main tremblait. Tout près, le cochon remua la paille, il grognait en rêve.

— Ça peut être long? demanda Le Chat.

Le médecin haussa les épaules.

— Qu'est-ce que tu veux que je te dise. Pour moi, pour l'instant c'est un homme qui dort.

Il se pencha de nouveau, prit la main du garçon et la garda un moment dans la sienne. Il n'avait pas de fièvre. C'était une main d'intellectuel ou d'employé de bureau. Au médius, jauni par le tabac, il y avait un petit cal produit par le frottement du porte-plume. Le médecin laissa tomber la main le long du corps.

— Ça serait idiot qu'il meure comme ça. Il était venu pour nous aider. Enfin, probablement . . .

— Quand je pense, dit Le Chat, qu'il n'aura même pas pu voir une arme, c'est vraiment bête.

— A quoi ça sert, dit le médecin, de se répéter ça tout le

temps? Ça n'avancera rien. Maintenant il n'y a rien à faire.

Il n'osait pas dire au Chat que depuis un moment il se demandait comment ils feraient, si le garçon mourait, pour emporter le cadavre. Les gens de la maison prendraient peur. Il faudrait attendre
5 jusqu'à la nuit suivante et, en attendant, le cacher dans un coin. Peut-être dans la paille enveloppé dans un drap.

Le garçon avait cessé de gémir tout d'un coup. Sa bouche s'était refermée et il respirait par le nez, avec un halètement. Le médecin s'était penché et regardait attentivement le visage inconnu.
10 — C'est drôle, dit-il, si je ne savais pas que ce type est venu ici pour être avec nous, je n'aimerais pas son visage.

Le malade semblait dormir profondément et le médecin vit que de petites gouttes de sueur s'étaient formées sur son visage. Il sortit de sa poche un mouchoir et, délicatement mais sans tendresse,
15 comme un geste professionnel assuré et utile, il lui essuya le front.

Il y eut un long moment de silence pendant lequel on entendait seulement les grognements du cochon. Le Chat avait fermé les yeux et le médecin sentait le sommeil le gagner.

On avait frappé à la porte. Doucement, d'abord, puis fort,
20 maintenant avec les poings, puis avec quelque chose de dur. Le Chat s'était dressé. Le médecin était resté assis. Il dit: "Qu'est-ce que c'est?" Il détourna la tête et vit que le malade à ses pieds fixait la porte, les yeux grands ouverts.

— Autant ouvrir, dit Le Chat, autant ouvrir. Nous n'avons
25 pas d'armes, c'est de ma faute. Je peux dire que nous l'avons mérité.

Maintenant les coups redoublaient comme si on avait frappé la porte à la hache. Il n'y avait pas d'intervalle entre chaque coup.

Derrière eux la voix du malade s'éleva, grêle, commune et servile:
30 — Entrez donc, chef, ils ne sont pas armés.

Le Chat et le médecin se retournèrent ensemble. Le malade était appuyé sur le coude et ricanait à petits coups.

— Quelle saloperie, dit le Chat.

Le médecin secouait la tête, la gorge sèche; il dit seulement:
35 "Ah! ça, ah! ça!"

La porte n'avait pas résisté longtemps à la poussée. Deux miliciens en uniforme et deux civils braquaient sur eux des mitraillettes;

110

les civils avaient bondi derrière les deux hommes, debout maintenant au milieu de la pièce. Le chef leur cria de lever les mains et s'approcha pour les palper.

— C'est moche, dit encore Le Chat.

Le malade s'était assis sur le banc et fumait tranquillement 5 une cigarette.

Le Chat se souvint alors qu'il avait demandé au médecin s'il pouvait fumer, quand ils le veillaient. Il haussa les épaules.

Le mouchard s'était levé. Il alla jusqu'au médecin et, presque contre son visage, avec une comédie de pitié qui faisait grimacer 10 son visage:

— Accident professionnel, n'est-ce pas? . . .

Les miliciens et les deux civils les emmenèrent, l'un devant l'autre, les bras levés. Le malade ramassa un morceau de sucre que le médecin avait laissé sur la table, éteignit l'électricité et sortit le 15 dernier. Quand il rejoignit le groupe qui attendait dans la cour, il sifflait.

— Chef, dit-il, il y a aussi le cochon.

— Il ne perd rien pour attendre, dit une voix.

Les autres rirent, puis ils se mirent à descendre le sentier. 20 Ça n'était pas tout à fait l'aube, mais déjà des oiseaux chantaient.

— Il y a des choses si ignobles, pensa la médecin, qu'après tout . . .

Puis il prépara son silence.

Pierre Courtade

Le mauvais goût n'est peut-être que le passion d'orner pour orner.

Alain

Le Chapeau Blanc

Qu'un chapeau soit rose ou blanc, — un chapeau de femme bien entendu — en soi, cela a peu d'importance. Voilà une question réglée entre nous et sur laquelle je ne reviendrai pas.

Il s'agit ici d'un chapeau blanc. Pourquoi? Tout simplement
5 parce que le chapeau que j'ai dans l'idée est blanc. C'est un simple chapeau de paille, assez commun si je me fie à mon jugement, que je vis pour la première fois, dimanche il y a quinze jours. Il était porté par une femme d'un âge assez difficile à déterminer. Pas moins de cinquante ans et pas plus de soixante-dix.

10 Auparavant, laissez-moi vous dire que je m'intéresse rarement aux chapeaux de femme. J'ai des convictions là-dessus qui sont difficilement changeables. Tous les chapeaux de femme sont baroques, mal faits, biscornus, cornus, excentriques, extravagants, mauvaisement originaux, souvent insignifiants. Il y aurait une belle thèse à
15 faire sur le couvre-chef féminin. Malheureusement, je n'en ai pas le temps. J'ai l'intention de vous raconter une petite histoire personnelle et je ne veux pas ouvrir de nouvelles parenthèses. Il convenait cependant de dire que, généralement je ne m'intéresse pas aux chapeaux de femmes. Pour vous mettre un peu devant la situa-
20 tion où je me suis trouvé, ce jour, ce dimanche qui est à l'origine de l'histoire que voici.

J'étais à l'église. C'était pendant la grand'messe du dimanche. De plus, c'était pendant le sermon. Je ne savais pas où regarder. Le curé gesticulait un peu fort. Il me convenait de l'entendre sans
25 le voir. Je fis un tour d'horizon banal et, ne voyant rien qui puisse demander une analyse détaillée ou une étude approfondie, je fermai les yeux. Je les rouvris quelques secondes plus tard, et c'est là que je vis le fameux chapeau. Un chapeau comme tous les autres. Il

reposait sur la tête d'une dame placée dans le banc qui précédait le mien.

Cette femme porte un chapeau, me dis-je, rien de plus normal. On doit porter un chapeau à l'église. Celui-ci était de paille blanche, de forme ronde par derrière et supportait une sorte de cône par 5 devant dont l'utilité s'expliquait difficilement. A la rencontre de ce cône et du chapeau lui-même, il y avait une grappe de petites fleurs blanches entourées de feuilles noires qui m'intriguaient drôlement.

Je délaissai les fleurs pour le chapeau. Il était posé sur la tête de la femme à la façon d'un veston sur le dos d'un bossu. Les deux 10 côtés du chapeau touchaient la tête, mais la forme ronde de la coiffure, ce qui aurait dû avoir pour objet d'épouser la forme de la tête, demeurait vide. Il était facile de s'en rendre compte à cause de la paille tressée qui laissait des trous minuscules un peu partout.

C'est à ce moment que je commençai à me poser des questions 15 au sujet de ce chapeau. Le curé m'apportait des distractions. Il parlait de la vanité des femmes, de leurs extravagances dans leur façon de s'habiller. J'étais bien d'avis et j'oubliai ces considérations majeures pour retourner à mon chapeau.

Je le considérai longtemps sans pouvoir m'expliquer pourquoi 20 il y avait un vide à l'endroit même où il n'y aurait pas dû en avoir. J'entrevis une solution: poser ma question à la dame qui portait le chapeau. Mais je me rappelai que c'était le temps du sermon et je n'en fis rien. Pourtant, je n'étais pas satisfait.

Si je posais ma main sur le chapeau, me dis-je, si, mettant la 25 forme ronde du chapeau dans la forme de ma main, je pesais assez pour remplir ce vide qui ne doit pas être? Qu'arriverait-il? Il ne faut pas oublier que je ne connais pas la dame qui est devant moi. Elle pourrait se croire insultée, si c'est un genre digne. Elle pourrait sourire si elle appartient au genre bénin. Elle pourrait me donner 30 une gifle si elle est du genre dramatique. Elle pourrait aussi se retourner tranquillement et me faire des yeux assez troublants si elle se croit du grand genre.

Il y a aussi un public. Tout ce monde me verrait. Quelle serait sa réaction? Les hommes, les femmes, les enfants? Public assez 35 incontrôlable! Voyons! vais-je me décider? Puis-je poser ma main sur ce chapeau? Lui faire épouser la forme de cette tête? Non, sûrement, ce n'est pas là une action de tous les jours. En moi, il y

113

a la possibilité de faire cet acte. Si je ne le fais pas, cette omission changera peut-être le destin de cette femme. En tout cas, ce serait un acte qui aurait pu venir à la vie et qui, par ma faute, n'entrera jamais dans la création.

5   Je suis aussi dans une église. Le seul fait d'accomplir une telle action, banale en soi, dans une église, risque de me faire passer pour fou, tout au moins pour dérangé du cerveau.

Non, je ne peux pas. Je ne veux pas risquer ma réputation seulement pour contenter un désir aussi insignifiant. Restons-en là
10 et écoutons le sermon.

Mais les fleurs, entre le cône et le chapeau? Savez-vous à quoi elles me font penser? Aux fleurs sans nom qui poussent sur les tombes dans le cimetière. Les feuilles noires surtout! Et cette grappe de fleurs, droite, arrogante, dont la tige semble défier les vents me
15 confirme dans mon opinion. J'imagine maintenant que le chapeau lui-même est un tombeau dont le cône serait l'épitaphe. Cette pensée n'est-elle pas suffisante pour jeter un mauvais sort sur cette femme? Non, je ne suis pas superstitieux. Tout de même, si ces fleurs n'étaient pas là, je n'aurais pas cette impression d'au-delà. Quel-
20 qu'un pourrait-il les enlever? Le voisin de droite, si je lui demandais, m'écouterait-il? Moi-même, ce serait pourtant facile de porter la main en avant, de saisir l'orgueilleuse grappe et de l'arracher au ridicule. Je ne veux plus savoir la réaction qu'un tel geste produirait dans le cerveau de la femme. J'ai conscience que je peux lui
25 rendre service. Qu'elle se fâche ou qu'elle prenne la chose en riant, peu m'importe!

Tout bien considéré, un sentiment que je ne puis définir me retient. J'hésite! Serait-ce que j'ai toujours du respect humain? Serait-ce tout simplement que je suis gêné? J'ai toujours cru le con-
30 traire. Quant au respect humain, j'en ai bien un peu, mais pas plus qu'il n'en faut. C'est peut-être que je crains de déranger le curé dans ses considérations sur la vanité. S'il allait me voir, se mêler ensuite, bredouiller, répéter la même phrase plusieurs fois? J'en serais sûrement responsable. Mon action deviendrait mauvaise. En-
35 lever les fleurs sur un chapeau pour le rendre moins ridicule, est-ce là une mauvaise action? Je ne crois pas. Je pourrais cependant attendre la fin de la messe, suivre la femme dans la rue, et là, lui

enlever ces mauvaises fleurs. C'est impossible. Je n'aurais pas le même désir.

A bien y penser, je puis faire deux choses à la fois, si toutefois, je me décide d'agir. Je puis poser ma main gauche sur la forme ronde du chapeau, peser et faire ainsi disparaître ce vide insipide. En même temps, de la main droite, je puis arracher la grappe de fleurs. Le tour se fera plus vite et deux ou trois personnes seulement auront le temps de s'en apercevoir.

Ces deux ou trois personnes vont-elles garder la chose pour elles? Après la messe, ne voudront-elles pas raconter l'incident à tout le monde? Alors, on me regardera passer en essayant de découvrir en moi des manières à prouver tout au moins mon excentricité.

Le curé achevait maintenant son sermon. Tout au long de mon désir, j'ai entendu ce sermon sans le comprendre. Si bien que je pourrais le réciter du commencement à la fin, sans omettre un mot. Je pourrais même refaire les intonations du prêtre là où il les a faites. Mais je n'ai pas encore contenté mon désir et tout à l'heure il sera trop tard. Passe encore de mettre la main sur un chapeau pendant le sermon, mais pendant la messe, c'est impossible.

Vais-je me décider? Je n'ai qu'à soulever le coude, étendre le bras, préparer ma main et, en un instant, ce sera fait. Doucement, je soulève le coude et je regarde autour de moi. Pas un soupir, sauf le mien. Je commence à étendre le bras. . . . je reviens en position normale. Ce sont les deux coudes qu'il faut soulever, les deux bras qu'il faut avancer, les deux mains qu'il faut mettre aux aguets, avertir de remplir chacune une fonction différente.

Voici les dernières phrases du sermon, j'en suis sûr. Et je ne veux pas que le curé descende de chaire avant que j'aie pu contenter mon désir. Je joins les deux mains afin de me rendre compte de la force de mes nerfs, je fais craquer mes doigts et puis . . . tiens, allons-y . . .

Une seconde a suffi pour que, d'une main, je pèse sur la forme ronde du chapeau et remplisse le vide; pour que de l'autre, j'arrache la grappe de fleurs blanches. La femme a laissé entendre un cri et s'est retournée toute rouge, pleine d'une sainte colère. J'ai soutenu son regard quelques secondes. Je tenais les fleurs dans ma main droite. Elle les a aperçues et me les a enlevées en me griffant la main, pendant que le curé donnait sa bénédiction. J'ai entendu des rires autour de moi et je n'ose plus lever les yeux. Je suis sûr que les gens me regardent encore. J'ai le cou mal fait et ils vont s'en rendre compte. J'ai une bosse derrière la tête, peu apparente, mais ils vont la voir et lui donner différentes significations. Je me sens

5 rapetisser sous tant de regards obsédants.

J'entends les premières notes du Crédo. Tout le monde se lève. Je me lève aussi, et, tout petit, je me faufile dans l'allée, à grands pas. Je ne vois plus que le bout de mes souliers qui s'agitent devant moi. Dehors, je cours. J'ai hâte de pouvoir refermer la porte de

10 ma maison sur moi.

J'ai ouvert les yeux. Je vois toujours le chapeau blanc, le cône inexplicable et les fleurs intrigantes. Mais je suis soulagé d'un désir que je n'avais plus la force de porter.

Quoi qu'en disent les gens, je ne suis pas fou.

Adrien Therio

Exercices

Bombe atomique et bonnes manières

Répondez en français aux questions suivantes:

1. Quel est le ton de ce passage?
2. Donnez trois exemples tirés de ce passage qui illustrent votre réponse à la première question.
3. En quoi le dernier paragraphe contraste-t-il avec le reste du passage?
4. A votre avis, quel est l'opinion de l'auteur sur les abris atomiques "jardin"?
5. Dans quels cas son opinion est-elle acceptable? Justifiez cette opinion.
6. Dans quels cas les abris atomiques de jardin sont-ils plutôt inutiles?

Les Conquérants

A   *Répondez en français aux questions suivantes:*

1. Qu'est-ce que les hommes avaient réussi à conquérir au XXII ème siècle?
2. Pourquoi l'apparence des Martiens était-elle terrifiante?
3. Comment pouvait-on exterminer les Martiens?
4. Qu'est-ce qu'on a fait des survivants de P.1? Pourquoi?
5. Quelle était la ressource naturelle de P.1?
6. Pourquoi la conquête de P.2 était-elle facile?
7. Comment a-t-on exploité cette planète?
8. Qu'est-ce que les hommes n'avaient pas encore réussi à conquérir?

9. Pourquoi, vers 2647, la Terre était-elle particulièrement riche?
10. Pourquoi la conquête de la planète P.473 était-elle considérée comme particulièrement importante?
11. Quelles précautions prend-on pour éliminer les risques de défaite?
12. Donnez trois détails sur les "Mastres".
13. Comment stimulait-on l'ardeur combattive des hommes pendant le voyage de la Terre à P.473?
14. Pourquoi la conquête de P.473 a-t-elle été si facile?
15. Donnez un exemple du cruauté des hommes à la fin de la conquête de P.473.
16. Qu'est-ce que les hommes ont fait avant de se coucher?
17. Expliquez pourquoi ils ne se sont pas réveillés le lendemain.

B *Trouvez les mots qui correspondent aux définitions suivantes:*

1. qui appartient à la terre — adjectif —
2. corps céleste qui tourne autour du soleil — nom —
3. relatif à l'espace — adjectif —
4. le monde, le soleil, les étoiles; l'ensemble de tout ce qui existe — nom —
5. partie supérieur de l'atmosphère — nom —
6. petite planète suivant une orbite située entre celles de Mars et de Jupiter — nom —
7. gigantesque groupement d'étoiles dont le diamètre est de l'ordre de 100.000 années de lumière — nom —
8. habitant de la Terre — nom —
9. l'immensité, l'étendue des airs — nom —
10. celui qui va s'installer dans un nouveau pays ou un nouveau monde — nom —

C *Quels sont les infinitifs qui correspondent à ces noms abstraits?*

1.	la réalisation	6.	la destruction
2.	la conquête	7.	la possession
3.	l'élimination	8.	la décision
4.	la création	9.	la révélation
5.	l'exploration	10.	la considération

D   *Quels sont les adjectifs qui correspondent aux noms suivants?*

1. la popularité
2. la monotonie
3. la curiosité
4. le monstre
5. la paix

6. la glace
7. la chaleur
8. la destruction
9. l'ambition
10. la satisfaction

Les Deux Pigeons

A   *Répondez en français aux questions suivantes:*

1. Quels sont les deux personnages principaux de cette histoire?
2. Pourquoi Eric pense-t-il que la jeune fille est très riche?
3. Pourquoi Patricia pense-t-elle la même chose de lui?
4. Que voudraient-ils faire cet après-midi?
5. Pourquoi choisissent-ils d'aller à l'île Saint-Ferréol?
6. Comment vont-ils aller jusqu'à cette île?
7. A qui est vraiment le yacht?
8. Combien de temps passent-ils à pêcher?
9. Que font-ils après?
10. Pourquoi Patricia crie-t-elle soudain?
11. Quelle confession fait-elle à Eric *(3 détails)*
12. Quelle confession Eric lui fait-il à son tour? *(3 détails)*
13. Comment sont-ils *vraiment* arrivés jusqu'à l'île?
14. Pourquoi ne retournent-ils pas tout de suite à Cannes?
15. Qui sauvent-ils?
16. Pourquoi pense-t-on que les Arakian sont riches?
17. Que font-ils tous avant de se coucher?
18. Quelle proposition M. Arakian fait-il aux jeunes gens?
19. Quelles surprises ont Patricia et Eric le lendemain matin? *(2 détails)*
20. Pourquoi Eric ne veut-il pas rester dans la villa?
21. Qui étaient vraiment les Arakian?
22. Qu'aurait pensé la police si Patricia et Eric avaient dépensé l'argent au lieu de le porter au commissariat?

119

23. Pourquoi Eric et Patricia sont-ils contents tout de même?
24. Qui était vraiment le Commodore?

B   *Trouvez dans le texte sur les pages 8-12 l'équivalent de:*

1. qui brûle
2. qui trouble la vue par trop de brillance
3. bateau à voile
4. toucher légèrement
5. petit pont entre un bateau et la jetée
6. ce qu'on a l'intention de faire
7. petit repas familier
8. défendre, dire qu'on ne doit pas faire une telle chose
9. avec plaisir
10. être emporté par le vent ou les courants

C   *Trouvez sur les pages 12-14 l'équivalent de:*

1. arriver à
2. toucher rudement
3. d'une manière rapide
4. appareil de direction d'une auto ou d'un bateau à moteur
5. donner pour vrai ce qu'on sait être faux
6. mouvement ondulatoire de l'eau
7. celui dont le bateau a été perdu en mer
8. à bout de forces, extrêmement fatigué
9. quantité de nourriture qui entre dans la bouche en une seule fois
10. ennuyer quelqu'un pendant qu'il est occupé, troubler

D   *Trouvez sur les pages 14-16 l'équivalent de:*

1. calme
2. absence d'agitation
3. voyage de tourisme en mer
4. paquet de papiers ou billets liés ensemble
5. partir à la hâte par crainte
6. contrat par lequel une personne promet de laisser à une autre personne l'emploi d'une chose pendant un certain temps

7. un pirate
8. mettre en liberté
9. une difficulté sérieuse
10. pièce de bois vertical qui supporte les voiles d'un voilier

E *L'auteur de "Les Deux Pigeons" s'est servi de quelques expressions pittoresques ou de plusieurs mots d'argot. En voici quelques-uns; essayez de les exprimer en un français plus simple:*

1. un barbon   5. un job
2. une dînette   6. pigeonner
3. 'sympa'   7. fauché
4. salut!   8. assommant

L'Elixir du Révérend Père Gaucher

A *Répondez en français aux questions suivantes:*

1. Qu'est-ce qui indique que les pères blancs du cloître des Prémontrés sont très pauvres? *(4 détails)*
2. Qui était le frère Gaucher?
3. Quelle idée propose-t-il aux révérends?
4. Que pensent-ils de cette idée?
5. Quels changements remarque-t-on dans le cloître au bout de six mois?
6. Où le Révérend Père Gaucher passait-il le jour?
7. Qu'y faisait-il?
8. Où allait-il le soir?
9. Qu'a-t-il fait d'étrange un soir pendant l'office? *(2 détails)*
10. Quelle était la cause du scandale?
11. Pourquoi est-il nécessaire que le Père Gaucher goûte l'élixir?
12. Quelle solution le supérieur trouve-t-il et quelle permission donne-t-il au Père Gaucher?
13. Décrivez le martyre du pauvre père chaque soir.

14. Que faisait-il généralement après avoir bu?
15. Montrez que le couvent était maintenant bien organisé pour les affaires.
16. Quelle décision le Père Gaucher vient-il annoncer un dimanche matin?
17. Pourquoi a-t-il pris cette décision?
18. Qu'en pensent les révérends?
19. Quelle solution le supérieur propose-t-il cette fois-ci?

B *Voici des définitions ou des synonymes de mots qui décrivent la vie religieuse chez les Prémontrés; trouvez-en l'équivalent dans le texte:*

1. un monastère
2. une tour qui abrite des cloches
3. un manteau sans manches auquel est attaché un bonnet qui se rabat sur la tête ou se rejette en arrière
4. une assemblée des moines les plus importants du cloître
5. une personne qui a autorité sur les autres
6. un ensemble de prières et cérémonies liturgiques
7. un instrument de musique d'église de grande dimension
8. la table où l'on célèbre la messe
9. se mettre à genoux
10. la partie de l'église réservée au clergé; aussi, un groupe de personnes qui chantent ensemble

C *Voici des mots qui traitent de la distillation; trouvez-en l'équivalent dans le texte:*

1. plante employée comme assaisonnement ou médicament
2. médicament liquide formé de plusieurs substances dissoutes dans l'alcool
3. mettre plusieurs choses ensemble
4. lieu où l'on distille
5. qui a une odeur
6. parfum agréable du vin; aussi, un assemblage de fleurs
7. choisir avec soin
8. devenir moins chaud
9. récipient circulaire en métal
10. personne dont la profession est de faire des paquets

D   *Formez des mots féminins à l'aide de ces verbes (ils ne sont pas tous dans le texte):*

1. délibérer
2. préparer
3. distiller
4. fabriquer
5. agiter

6. inventer
7. tenter
8. résoudre
9. permettre
10. composer

Le Petit Prince et le renard

A   *Répondez en français aux questions suivantes:*

1. Pourquoi le petit prince veut-il que le renard joue avec lui?
2. Pourquoi le renard ne peut-il pas jouer avec lui?
3. Pourquoi le renard n'aime-t-il pas les hommes?
4. Quelle différence y a-t-il entre un animal "apprivoisé" et un animal qui n'est pas apprivoisé?
5. Pourquoi le renard pense-t-il que la planète du petit prince est "intéressante" mais "pas parfaite"?
6. Si le petit prince apprivoise le renard, pourquoi le renard sera-t-il plus heureux?
7. Comment le petit prince va-t-il l'approvoiser? *(2 détails)*
8. Pourquoi le renard aime-t-il particulièrement le jeudi?
9. A qui pensera le renard, plus tard, quand il regardera les champs de blé? Justifiez votre réponse.

B.   *Quelle est la bonne réponse?*

1. Un pommier est:
   un fruit; un arbre fruitier; une boîte; un cultivateur de pommes; une sorte de poule
2. Un renard est grand comme:
   une souris; une vache; un cheval; un petit chien; un lion

3. 'Apprivoisé' est le contraire de:
   sauvage; privé; visible; solitaire; avec des aptitudes
4. Quand le temps est ensoleillé:
   il y a beaucoup de terre; il y a beaucoup de brouillard;
   il y a peu de soleil; il y a beaucoup de ciel bleu; il n'y a
   aucun oiseau
5. Un malentendu a lieu quand:
   on a faim; il pleut; on est pauvre; on n'a pas bien compris;
   on est malade
6. Un rite est:
   un chemin; une cérémonie; un droit; une planète; le petit
   du renard
7. Un lien est:
   tout ce qui attache; un support; un jeune lion; un em-
   prunt; ce que l'on croit
8. Une planète est:
   une étoile; une constellation; un corps céleste qui tourne
   autour du soleil; un plan architectural; un outil qui rend
   une surface plate

Haut les Mains!

A *Répondez en français aux questions suivantes:*

1. Pourquoi Philippe n'aime-t-il pas son frère?
2. Pourquoi Lucien a-t-il absolument besoin d'argent?
3. Que fait Philippe dans sa chambre avant de sortir?
4. Pourquoi va-t-il ensuite chez un quincailler?
5. Que fait-il quand il retourne à sa chambre?
6. Quel était le seul plaisir de Philippe dans la vie?
7. Quel était son travail?
8. Pourquoi est-il allé à la banque après avoir reçu son enveloppe
   de paie?

9. Quel avantage y a-t-il à laisser son argent à la banque? Pourquoi Philippe préférait-il le garder à la maison?
10. Qu'imaginait-il chaque fois qu'il entendait les sirènes des
   pompiers?
11. Qu'a-t-il vu au coin de sa rue?
12. Qu'a-t-il fait alors?
13. Comment Victor a-t-il aidé Philippe ce soir-là?
14. Quel privilège a-t-on laissé à Philippe à la banque?
15. Quelle nouvelle Victor a-t-il annoncée à Philippe?
16. Pourquoi regardait-on Philippe dans la rue?
17. Qu'est-ce qu'il est allé acheter?
18. Où a-t-il trouvé son frère?
19. De quoi menace-t-il Lucien?
20. Quels crimes Lucien avait-il commis?
21. Comment Philippe a-t-il passé le lendemain?
22. Qu'a fait Victor quand le bandit a demandé l'argent?
23. Comment Philippe est-il intervenu?
24. Quelle surprise a-t-il eue en démasquant le bandit?
25. Pourquoi Lucien était-il venu ainsi à la banque?

B   *Trouvez sur les pages 29-30 l'équivalent de:*

1. celui qui n'est pas marié
2. d'une manière soudaine, presque impolie
2. demander humblement
4. multiplié par dix
5. mouvement que fait l'homme ou l'animal en portant un pied
   devant l'autre
6. paquet de billets ou papiers liés ensemble
7. regarder sans arrêt
8. marchand d'objets en métal de faible valeur
9. celui qui aime accumuler son argent et qui a peur de le
   dépenser
10. action de trembler à cause d'une émotion vive
11. qui manque de courage
12. appareil servant à monter ou à descendre verticalement les
   personnes

125

C   *Trouvez sur les pages 31-33 l'équivalent de:*

1. homme appartenant à un corps organisé pour combattre les incendies
2. une inquiétude profonde
3. la face de l'homme
4. multiplié par dix
5. tomber lourdement et bruyamment
6. coucher hors de chez soi
7. mettre des objets l'un au-dessus de l'autre
8. substance employée à combattre les maladies
9. instruction qui prescrit ce que l'on doit faire
10. personne responsable de la direction d'un établissement commercial
11. accomplir d'une manière satisfaisante
12. celui qui vend les armes

D   *Trouvez le mot qui correspond à chacune des expressions suivantes:*

1. jouer — nom —
2. la violence — adverbe —
3. charitable — nom —
4. vide — verbe —
5. saisir — adjectif —
6. la responsabilité — adjectif —
7. la question — verbe —
8. partir — nom —
9. une habitude — adjectif —
10. haut — nom —

E   *Si vous travailliez dans une banque comme Victor, les expressions suivantes vous seraient très familières. Utilisez chacune d'entre elles dans une phrase de façon à rendre clair leur signification. Vous pourrez en combiner plusieurs dans une même phrase si vous le voulez.*

1. un caissier
2. une cage
3. compter
4. mettre en liasses
5. le gérant
6. le comptoir
7. une grille
8. l'intérêt
9. les billets
10. des bandits masqués

Le Bureau des Mariages

A   *Répondez en français aux questions suivantes:*

1. Pourquoi Louise entre-t-elle dans l'agence?
2. Donnez deux détails sur Louise et deux détails sur son frère.
3. Pourquoi Robert n'est-il pas de bonne humeur quand Louise rentre ce soir-là?
4. Quelle excuse donne-t-elle? Pourquoi ne lui dit-elle pas qu'elle est allée à l'agence?
5. Pourquoi Louise a-t-elle déchiré la première lettre qu'elle a ouverte à l'agence?
6. Pourquoi n'aime-t-elle pas les deuxième et troisième lettres qu'elle lit?
7. En quoi la quatrième lettre diffère-t-elle des trois autres? *(2 détails)*
8. Pourquoi l'auteur de cette lettre l'a-t-il dactylographiée? Pourquoi demande-t-il à "Martine" de faire de même?
9. Pourquoi Louise n'avait-elle aucune sympathie immédiate pour "Edmond"?
10. Pourquoi décide-t-elle de répondre à sa lettre?
11. Que lui donne l'employé quand elle retourne à l'agence?
12. Que fait-elle de ces lettres? Pourquoi?
13. Pourquoi "Edmond" a-t-il mis si longtemps à répondre à la première lettre de Louise?
14. Combien de temps leur correspondance a-t-elle duré?
15. Qu'est-ce que leur situation avait d'étrange?
16. Pourquoi craignaient-ils un peu de se rencontrer?
17. Quel changement remarquait-on en Louise?
18. Quelle décision "Edmond" prend-il dans sa cinquante-sixième lettre?
19. Comment vont-ils se reconnaître?
20. Qu'a fait Louise juste avant de quitter la maison pour aller à son rendez-vous?
21. A quel moment a-t-elle reconnu son correspondant?
22. Qui était-ce?

B   *Trouvez dans le texte 36-37 l'équivalent de:*

1. être incertain de ce que l'on va faire
2. avoir le courage de
3. prendre une résolution
4. action d'afficher
5. totalité des lettres que l'on écrit ou que l'on reçoit
6. refuser volontairement de faire quelque chose
7. nom sous lequel on dissimule son identité
8. partie du vêtement qui entoure le cou

C   *Trouvez dans le texte 37-38 un synonyme de:*

1. une répugnance extrême
2. ayant perdu le désir de faire quelque chose
3. méticuleux, qui fait quelque chose avec soin
4. aussi
5. indication du lieu choisi pour la réception de lettres etc.
6. qui n'est ni convenable ni poli
7. écrire en se servant d'une machine
8. situation qui permet l'absence d'inquiétude

D   *Trouvez sur les pages 38-39 le contraire de:*

1. frivole
2. désagréable
3. troublant
4. lentement
5. le commencement
6. vague (adj.)
7. majeur
8. marié
7. contrarier
10. séparément

E   *Trouvez sur les pages 39-41 un mot de la même famille que:*

1. lire — nom —
2. correspondre — nom —
3. la probabilité — adjectif —
4. la déception — verbe —
5. la régularité — adverbe —
6. aimer — adjectif —

7. anxieux — nom —
8. attendre — nom —
9. traverser — préposition —
10. préoccupé — nom —

F *Trouvez dans le texte des noms abstraits qui correspondant aux adjectifs suivants. (Comme la plupart des mots abstraits, ceux-ci sont tous féminins.) Modèle: beau: la beauté.*

1. poli
2. aisé
3. résigné
4. discret
5. curieux

6. courtois
7. impatient
8. familier
9. difficile
10. obstiné

La Revanche du Prestidigitateur

A *Répondez en français aux questions suivantes:*

1. Quels sont les deux personnages principaux de cette histoire?
2. Pourquoi les spectateurs admirent-ils d'abord le prestidigitateur?
3. Comment le petit malin du premier rang les influence-t-il peu à peu?
4. Pourquoi le petit malin sourit-il quand le prestidigitateur écrase sa montre?
5. Pourquoi accepte-t-il de donner son mouchoir, puis son chapeau, puis ses lunettes au prestidigitateur?
6. Que fait le prestidigitateur de chacun de ces objets?
7. Pourquoi le prestidigitateur triomphe-t-il à la fin?

B *Remplacez les tirets par la forme correcte du verbe demandé par le sens:*

1. Le prestidigitateur a fait _____ un aquarium rempli de poissons rouges.

2.   Au commencement de son truc, les anneaux étaient _____.
3.   Il a _____ dix-sept oeufs d'un chapeau.
4.   Le petit malin a dit que le prestidigitateur les avait _____ dans sa manche.
5.   La réputation du prestidigitateur _____ descendue au-dessous de zéro.
6.   Il a annoncé qu'il _____ présenter un tour japonais.
7.   Le petit malin a _____ au prestidigitateur sa montre en or.
8.   Après l'_____ _____ dans un mortier, le prestidigitateur a saisi un marteau.
9.   Le visage du petit malin s'_____ éclairé.
10. En _____ au petit malin un regard triomphant, le prestidigitateur a terminé sa présentation.

Le Petit Fût

A   *Répondez en français aux questions suivantes:*

1.   Pourquoi maître Chicot voulait-il acheter la ferme de la mère Magloire?
2.   Pourquoi refusait-elle de la lui vendre?
3.   Donnez deux détails sur la mère Magloire.
4.   Quel arrangement maître Chicot propose-t-il à la vieille ce jour-là?
5.   Quel avantage cet arrangement présentera-t-il
         (a) pour maître Chicot?
         (b) pour la vieille?
6.   Qu'est-ce que le notaire lui conseille de faire?
7.   Comment la vieille essaie-t-elle de convaincre maître Chicot de lui donner cinquante écus par mois?
8.   Pourquoi Chicot se désespérait-il au bout de trois ans?
9.   Quelle invitation fait-il à la mère Magloire?
10. Que lui offre-t-il à manger?
11. Pourquoi Chicot est-il un peu désappointé?
12. Montrez que la vieille aime bien boire.

13. Qu'est-ce que Chicot lui apporte le lendemain?
14. Comment sait-on dans la contrée que la vieille a pris l'habitude de s'ivrogner?
15. De quoi peut-on accuser maître Chicot dans cette affaire?

B   *Trouvez sur les pages 46-48 des synonymes de:*

1. un homme vigoureux
2. qui a un gros ventre
3. désirer avec avidité
4. en forme d'arc
5. que rien ne fatigue
6. mal à l'aise
7. disposition à soupçonner le mal
8. continuer une chose interrompue
9. s'inquiéter
10. être agité d'un tremblement
11. espérance ou crainte d'une chose probable
12. manger avidement

C   *Trouvez sur les pages 48-51 un mot de la même famille que:*

1. le désespoir — verbe —
2. le ridicule — verbe —
3. malicieux — nom —
4. haïr — nom —
5. la férocité — adjectif —
6. la causerie — verbe —
7. plaire — nom —
8. ventru — nom —
9. généreux — nom —
10. contenir — nom —
11. la preuve — verbe —
12. un héritage — verbe —

D   *Identifiez ces définitions:*

1. le propriétaire d'une auberge
2. pièce d'étoffe qu'on porte pour protéger ses vêtements
3. document authentifiant un accord
4. être dupe
5. goûter avec soin une boisson pour en apprécier la qualité
6. choquer son verre contre celui d'un autre avant de boire
7. corps d'un homme ou d'un animal mort

8. disposition acquise par des actes répétées
9. une ruse malicieuse
10. troublé par l'action de l'alcool

Une Parisienne au volant de sa voiture

A *Répondez en français aux questions suivantes:*

1. Où va la jeune femme?
2. Pourquoi veut-elle aller de l'autre côté de la rue avec sa voiture?
3. Montrez qu'elle n'a pas de chance quand elle est de l'autre côté. *(2 exemples)*
4. Pourquoi la voiture derrière elle ne peut-elle pas reculer?
5. Pourquoi la jeune femme ne peut-elle pas tourner à gauche?
6. Pourquoi décide-t-elle de ne pas laisser sa voiture dans la petite rue où il y a de la place?
7. Montrez qu'elle n'a pas beaucoup de chance avec le scooter.
8. Que va-t-elle dire au docteur pour expliquer son retard?
9. Qu'est-ce qui se passe quand elle essaie de se garer entre la Renault et la Peugeot?
10. Pourquoi les gens rient-ils?
11. Quels signes font-ils?
12. Qu'est-ce que le docteur lui recommande quand elle arrive finalement chez lui?

B *Trouvez dans le texte l'équivalent de:*

1. charmant
2. chanter à mi-voix sans prononcer de paroles
3. garer
4. un imbécile
5. un agent de police
6. qui agace les nerfs
7. aller en arrière

8. un groupe de maisons
9. l'argent qu'il faut payer comme punition
10. un mauvais rêve

C   *Si vous vouliez obtenir un permis de conduire en France, on vous poserait peut-être les questions suivantes. Essayez d'y répondre.*

1. Quel est un moyen de s'assurer (a) qu'il y ait des voitures garées seulement d'un côté d'une rue (b) qu'on ne les gare pas toujours du même côté?
2. Que faut-il faire pour indiquer qu'on veut tourner à gauche ou à droite?
3. Qu'est-ce qui indique un espace qu'il faut laisser libre pour le passage des piétons?
4. Devant quoi ne doit-on pas se garer parce qu'il faut laisser entrer ou sortir des voitures?
5. Quel écriteau indique qu'on ne peut pas pénétrer dans une rue?
6. Comment un flic indique-t-il au propriétaire d'une voiture que celui-ci l'a garée illégalement?

Le Temps Mort

A   *Répondez en français aux questions suivantes:*
1. Montrez que Martin était différent des autres hommes.
2. Pourquoi n'avait-il pas besoin de travailler?
3. Que faisait-il le matin, les jours où il existait?
4. Pourquoi lisait-il le journal si attentivement?
5. Dans quels quartiers se promenait-il pour faire paraître le temps plus long?
6. Que faisait-il à l'heure du déjeuner?
7. Quelles raisons se donnait-il alors pour consoler sa mélancolie?
8. Quelle curiosité avait-il eue souvent?
9. Où était-il toujours juste avant minuit? Pourquoi?

10. Pourquoi la concierge est-elle venue frapper à sa porte un jour?
11. Pourquoi a-t-on été étonné de ne pas le trouver dans sa chambre?
12. Comment Martin a-t-il évité de dire la vérité à la concierge?
13. Qui a-t-il rencontré un jour à la boucherie?
14. Qu'est-ce qui montre qu'ils s'aiment avant même de se parler?
15. Pourquoi Martin pense-t-il qu'il ne ferait pas un bon mari?
16. A quelle occasion se sont-ils addressé la parole finalement?
17. Pourquoi Martin ne peut-il pas donner rendez-vous à la jeune fille pour le lendemain?
18. Que dit-elle en apprenant qu'il n'existe qu'un jour sur deux?
19. Qu'ont-ils décidé de faire?
20. Pourquoi Henriette pleure-t-elle le lendemain du mariage?
21. Pourquoi est-elle de meilleure humeur l'après-midi?
22. Que raconte-t-elle à Martin quand il reparaît à minuit?
23. Montrez que la présence d'Henriette a transformé la vie de Martin.
24. Comment Henriette passait-elle ses journées de solitude?
25. Quelle impression déplaisante Martin avait-il parfois?
26. Pourquoi se sont-ils querellés une nuit?
27. Pourquoi devient-il jaloux?
28. Pourquoi Henriette décide-t-elle de le quitter finalement?
29. Qu'a fait Martin après le départ d'Henriette?
30. Dans quelles circonstances a-t-il disparu à la fin de l'histoire?

B *Sur les pages 56-58, trouvez l'équivalent de:*
1. vivre
2. où rien n'existe
3. une irrégularité, une déformité
4. indigner, choquer fortement
5. contraire au sens commun
6. qui s'arrête ou reprend par intervalles
7. celui qui n'est pas propriétaire du logement où il habite
8. personne chargée de la garde d'une maison
9. le jour qui précède celui dont on parle
10. contraire de 'la monotonie'
11. état de tristesse ou dépression
12. un travail habituel ou monotone

C   *Trouvez sur les pages 58-60 un mot de la même famille que:*

1. la découverte — verbe —
2. mystérieux — nom —
3. une inondation — verbe —
4. expliquer — nom —
5. l'amour — adjectif —
6. redoutable — verbe —

7. rouge — verbe —
8. un abri — verbe —
9. avouer — nom —
10. inquiet — nom —
11. prier — nom —
12. la patience — verbe —

D   *Trouvez dans le texte 60-62 le mot ou l'expression qui corres-*
pond à chacune des définitions ou explications suivantes:

1. manière dont un objet est placé; état caractéristique des per-
    sonnages d'un récit
2. état d'un veuf ou d'une veuve
3. qualité de ce qui est vrai
4. état d'une personne seule; lieu éloigné de la présence des
    hommes
5. qualité de ce qui est agréablement froid; état de ce qui est
    brillant et nouveau
6. réunion où l'on assiste à une représentation théâtrale
7. arriver en même temps; correspondre
8. rire à demi avec une intention moqueuse
9. une grimace faite par mécontentement
10. la main fermée

Aux Champs

A   *Répondez en français aux questions suivantes:*

1. Pourquoi les deux familles n'étaient-elles pas riches?
2. Que mangeait-on le plus souvent?
3. Pourquoi la dame a-t-elle arrêté sa voiture devant les deux
    chaumières?
4. Qu'est-ce qui montre qu'elle aime particulièrement le petit
    Tuvache?
5. Que vient-elle faire presque chaque jour avec les enfants?

6. Qu'est-ce que M. d'Hubières explique aux Tuvache?
7. Quels avantages les Tuvache auraient-ils s'ils acceptaient l'offre de M. d'Hubières?
8. Pourquoi Mme d'Hubières se met-elle à pleurer?
9. Quelle idée a-t-elle en sortant de chez les Tuvache?
10. Comment les Vallin reçoivent-ils les propositions de M. d'Hubières?
11. Pourquoi tout le monde est-il content à la fin de la visite?
12. Pourquoi les Vallin étaient-ils fâchés avec leurs voisins?
13. Qu'est-ce que la mère Tuvache répétait tout le temps?
14. Pourquoi les Tuvache enviaient-ils les Vallin?
15. Pourquoi les Vallin ont-ils eu de la difficulté à reconnaître leur fils quand il est revenu les voir?
16. Quel reproche Charlot Tuvache fait-il à ses parents ce soir-là?
17. Comment son père et sa mère reçoivent-ils ce reproche?
18. Pourquoi sont-ils tristes à la fin de l'histoire?

B *Sur les pages 63-66 trouvez un synonyme de:*

1. hauteur de forme arrondie, petite montagne
2. avec peine
3. terre réduite en poudre très fine
4. habituel
5. une petite main d'enfant
6. des bonbons et des gâteaux
7. immobile de surprise
8. âge auquel une personne est reconnue responsable de ses actes
9. tout de suite
10. sans générosité

C *Trouvez sur les pages 63-67 un mot de la même famille que:*

1. admirer — nom —
2. douloureuse — nom —
3. reprocher — nom —
4. le produit — verbe —
5. la passion — adverbe —
6. la patience — adverbe —
7. connaître — nom —
8. un héritage — nom —
9. la satisfaction — adjectif —
10. tenter — nom —
11. proposer — nom —
12. insinuer — nom —
13. refuser — nom —
14. la sévérité — adjectif —
15. le regret — verbe —

D *Trouvez dans le texte sur les pages 66-69 le contraire de:*

1. fin, bien élevé
2. inférieur
3. malgré
4. le calme
5. le plus jeune
6. s'asseoir
7. parler clairement
8. après (*adverbe*)
9. intelligent
10. se mettre à parler

Déclin

A *Répondez en français aux questions suivantes:*

1. Quel était le métier de M. Legault?
2. Citez une courte phrase qui nous fait voir que M. Legault avait vu beaucoup de changements dans cette maison de commerce.
3. Comment M. Legault amuse-t-il ses petits-enfants?
4. Pourquoi le père Legault refusait-il de quitter son poste?
5. Pourquoi refusait-il d'accepter un poste plus important chez son fils?
6. Quelles excuses est-ce que le patron propose à M. Legault quand il demande que celui-ci prenne sa retraite? (Donnez une excuse qui concerne M. Legault et une autre qui concerne le commerce.)
7. Comment est-ce que le patron justifie le petit montant de la pension de retraite?
8. Montrez que le père Legault était très émotionné au moment de son départ de son cher bureau.
9. Quelle est la vraie raison pourquoi M. Byron a mis à la retraite le vieux Legault?
10. Racontez brièvement la proposition que le jeune Legault a faite à Byron.

B   *Trouvez dans le texte le contraire de:*

1. diminuer
2. simple
3. au plus
4. tristement
5. s'amuser

6. décrocher
7. tranquille, calme
8. grossir
9. à bon marché
10. facile, léger

C   *Trouvez dans le texte un mot féminin de la même famille que les verbes suivants:*

1. défaillir
2. espérer
3. fabriquer
4. conclure
5. charger

6. reconnaître
7. concourir
8. suggérer
9. craindre
10. combiner

D   *Trouver dans le texte les mots dont voici les définitions:*

1. personne qui tient les comptes
2. faire entendre des bruits secs et répétés
3. celui qui est diche d'un ou de plusieurs millions
4. état de repos, suspension de fonctions ou de travail
5. expirer brusquement et bruyamment ou avec intention ou à cause de l'irritation des voies respiratoires
6. qualité de celui qui est exact, jamais en retard
7. se promener sans but, s'arrêtant de temps en temps pour regarder
8. rémunération de travail
9. donner l'ordre de s'en aller
10. rivalité entre deux personnes qui poursuivent le même objet

Le Champ de Tir

A   *Répondez en français aux questions suivantes:*

1. Quels bruits entendait-on dans le corridor?
2. A quoi pensait Gerbier en marchant?

3. Qu'est-ce qui a interrompu soudain sa méditation?
4. Que voulait-il faire au lieu de chanter?
5. Décrivez le champ de tir en donnant trois détails.
6. Pourquoi l'auteur appelle-t-il ce champ de tir un "enclos de leur mort"?
7. Quelle impression les prisonniers ont-ils quand on détache leurs chaînes?
8. Quelle "chance" l'officier allemand donne-t-il aux prisonniers?
9. Combien de prisonniers y a-t-il? Combien de mitrailleurs?
10. Pourquoi Gerbier ne veut-il pas d'abord courir comme les autres prisonniers?
11. Quand commence-t-il à courir?
12. A quel animal se compare-t-il?
13. Pourquoi les condamnés se sont-ils arrêtés soudain?
14. Qu'a fait Gerbier en arrivant au mur?
15. Qu'avait fait Jean-François pour aider Gerbier à se sauver?
16. Qu'avait fait Mathilde?

B *Sur les pages 76-77 trouvez un synonyme pour:*

1. un prisonnier qu'on va exécuter
2. un long passage dans un bâtiment
3. placé le premier
4. gros soulier montant
5. faire cesser la continuité
6. chef d'une congrégation israélite
7. une petite élévation de terrain
8. une arme automatique à petit calibre (*à tir tendu et par rafales*)
9. un groupe de soldats commandé par un lieutenant
10. l'organe qui sert à voler

C *Trouvez sur les pages 78-79 un mot de la même famille que:*

1. la mesure — verbe —
2. distant — nom —
3. contracter — nom —
4. courir — nom —
5. la confusion — adjectif —
6. pensif — nom —
7. obscur — nom —
8. l'épaisseur — adjectif —
9. l'aise — adjectif —
10. l'obsession — verbe —

D   *Identifiez ces bruits et pensées qui ont influencé les sentiments du condamné:*

1. Les bottes des soldats allemands faisaient un bruit _____ et _____ .
2. Les chaînes _____ et _____ .
3. La _____ de Gerbier a été interrompu par un _____ .
4. Il ne voulait pas l'écouter; il voulait _____ .
5. Deux d'entre les condamnés avaient de belles voix _____ et _____ .
6. Gerbier attendait la fin de l'hymne avec _____ .
7. La lumière dans le champ de tir était _____ et _____ .
8. Les chaînes détachées sont tombées sur la terre avec un bruit _____ .
9. Gerbier ne voulait pas _____ .
10. Lui et les deux autres condamnés avaient l'impression de se _____ .
11. A chaque balle que tirait le lieutenant, Gerbier _____ plus vite; son esprit devenait _____ .
12. Dans un instant il allait ressembler à un _____ .

Thanatos Palace Hotel

A   *Répondez en français aux questions suivantes:*

1. Pour quelles raisons Jean Monnier voulait-il se suicider?
2. Quelle lettre trouve-t-il dans son courrier ce jour-là?
3. Quels services le Thanatos Palace Hotel offre-t-il à ses clients?
4. Pourquoi l'hôtel peut-il garantir les "résultats"?
5. Combien coûte le séjour à l'hôtel?
6. Quels avantages naturels l'hôtel lui-même présente-t-il?
7. Avec qui Jean Monnier fait-il le voyage de la gare de Deeming à l'hôtel?
8. Comment l'hôtel fait-il pour se décharger de toute responsabilité en cas "d'accident"?

9. Pourquoi M. Boerstecher pense-t-il qu'il est un bon hôtelier?
10. Pourquoi n'a-t-il pas d'ennuis avec les autorités ou les familles des clients?
11. Comment s'habillent les hommes pour le dîner? Et les femmes?
12. Pourquoi Jean Monnier hésite-t-il quand le directeur lui offre de partager la table de Mrs. Kirby-Shaw? Pourquoi accepte-t-il finalement?
13. Quelles raisons ont amené Mrs. Kirby-Shaw à considérer le suicide?
14. Pourquoi pense-t-elle que Jean Monnier a tort de vouloir se suicider?
15. Pourquoi, le lendemain, Jean Monnier pense-t-il qu'il "fait bon vivre"?
16. Pourquoi va-t-il voir le directeur de l'hôtel, ce soir-là?
17. Quelle est l'attitude du directeur quand il apprend la décision de Jean Monnier?
18. Pourquoi Jean Monnier remercie-t-il le directeur?
19. Quel ordre le directeur donne-t-il à Sarconi quand Jean Monnier est sorti de son bureau?
20. Qui était vraiment Mrs. Kirby-Shaw?
21. Pourquoi pense-t-elle que le directeur est cruel?
22. Pourquoi, au contraire, le directeur pense-t-il que sa méthode est humaine?

B *Trouvez sur les pages 80-82 du texte l'équivalent de:*

1. une situation grave ou décisive
2. une personne qui dirige une banque
3. l'ensemble des lettres que l'on reçoit
4. qui a du courage
5. sauf; à l'exception de
6. un insuccès; une non-réussite
7. la limite qui sépare deux pays
8. qui ne peut être contredit
9. avoir la possession, ou l'usage de
10. un bassin artificiel où l'on nage
11. l'ensemble des clients
12. mettre dans un certain ordre

13. s'arrêter (*en parlant d'un véhicule*)
14. murmurer entre ses dents
15. l'exactitude

C   *Trouvez sur les pages 82-84 des mots de la même famille que:*

1. responsable — nom —
2. établir — nom —
3. un hôtel — nom —
4. la peine — adjectif —
5. la superstition — adjectif —
6. la caisse — nom —
7. la mort — adjectif —
8. le monde — adjectif —
9. la feuille — verbe —
10. l'esprit — adjectif —
11. écrire — nom —
12. tenter — nom —
13. la douleur — adjectif —
14. croire — adjectif —
15. perdre — nom —

D   *Trouvez dans le texte sur les pages 85-87 le contraire de:*

1. la trouvaille
2. la richesse
3. crier
4. où il y a beaucoup de monde
5. frivolement
6. certain
7. confiant
8. l'arrivée
9. irréligieux
10. agiter; rendre moins calme

Naissance d'un Maître

A   *Répondez en français aux questions suivantes:*

1. Pourquoi la peinture de Pierre Doche n'a-t-elle pas de succès?
2. Quelles qualités a Pierre Doche?
3. Pourquoi a-t-il besoin de vendre ses toiles?
4. Que faut-il faire, selon son ami, pour vendre des toiles?
5. Montrez que Mme Kosnevska n'a qu'un intérêt superficiel pour l'art.
6. Selon l'école "ideo-analytique" qu'est-ce qui représente vraiment l'homme?
7. Comment peut-on par exemple, représenter un colonel?
8. Comment pourriez-vous représenter un médecin? ou un professeur?

142

9. Que fera le peintre si on lui demande des explications sur sa peinture? (*3 choses*)
10. Qu'est-ce qu'un "vernissage"?
11. Quelles sont les qualités que Mme Kosnevska admire dans les tableaux "ideo-analytiques"?
12. Selon Strunski, où est-ce que Doche a trouvé son inspiration?
13. Quelle garantie de profit Doche reçoit-il au cours de l'exposition?
14. Montrez que cette histoire illustre la stupidité des amateurs d'art en question.
15. Pourquoi l'ami du peintre est-il surpris à la fin?

B *Trouvez dans le texte l'équivalent des expressions suivantes:*
1. un tableau qui représente des fleurs, des légumes, des objets inanimés
2. un lieu où un artiste travaille
3. une aptitude; supériorité naturelle pour faire une chose
4. l'action de placer sous les regards du public des oeuvres d'art, des produits industriels ou agricoles (*un verbe*)
5. un tissu de lin ou de coton; par extension: un tableau

C *Donnez DEUX mots de la même famille que chacun des mots suivants: (un nom et un verbe pour chacun)*
1. le peintre
2. le promeneur
3. le produit
4. admiratif
5. un espoir

Patrouille de Nuit

A *Répondez en français aux questions suivantes:*
1. Pourquoi était-il dangereux de sortir seul après la fin du jour?
2. Pour quelles raisons le lieutenant Serval refuse-t-il que deux hommes l'accompagnent jusqu'à son poste?

3. Pourquoi marchait-il dans le fossé et pas sur la route?
4. Pourquoi s'arrête-t-il au tournant?
5. Qui lui avait donné son pistolet?
6. Qu'a-t-il vu soudain sur la gauche?
7. Pourquoi la patrouille ennemie ne l'avait-elle pas vu?
8. Quel avantage a-t-il?
9. Qu'est-ce qu'il attend pour tirer?
10. Pourquoi est-il rentré furieux au poste de commandement?
11. Que faisaient les officiers, quelques jours plus tard, dans la cour du poste?
12. Quelle surprise Serval a-t-il eue?
13. Qu'est-ce qui serait arrivé si la patrouille ennemie n'avait pas traversé la route?

B *Trouvez dans le texte sur les pages 93-94 un synonyme pour:*

1. une petite formation de soldats chargés de se renseigner sur l'ennemi
2. séparé des autres hommes
3. se rendre inquiet
4. un trou plus long que large, le long d'une route
5. un morceau de bois fixé verticalement qui sert à marquer les distances
6. un moment
7. une bande de cuir qu'on porte autour du milieu du corps et qui supporte le revolver etc.
8. soigner (*3 mots*)
9. une clôture de branchages entrelacés
10. faire cesser de brûler ou de briller

C *Trouvez sur les pages 94-98 le mot qui a le même sens que chacune des expressions suivantes:*

1. assez grand — adjectif —
2. à peu près — adverbe —
3. de cette façon — adverbe —
4. le dos arrondi — adjectif —
5. encore une fois — adverbe —

6. maintenant — adverbe —
7. complètement — adverbe —
8. de l'autre côté; vis-à-vis de — adverbe —

D *Trouvez l'équivalent du vocabulaire suivant des armes et du tir:*

1. un revolver
2. faire partir au moyen d'une arme
3. pointer une arme sur l'objectif
4. ne pas frapper l'objectif choisi
5. planche servant d'objectif pour l'instruction du tir
6. ce qui rend impossible de tirer avec un revolver par accident
7. organe élastique, généralement métallique qui peut revenir à son état premier après avoir été comprimé
8. adjectif qui décrit un revolver capable de tirer 6 ou 8 balles de suite

Une Fille Blonde

A *Répondez en français aux questions suivantes:*

1. "Ils étaient huit dans la même chambre . . ." Qui étaient-'ils'? Où se trouvait cette chambre?
2. Où était le lit de Failleroy? Quel avantage cette position présentait-elle?
3. Quelle blessure avait-il reçue?
4. Pourquoi le cas de Renaudier est-il particulièrement triste?
5. Qu'est-ce que Failleroy décrit à ses compagnons?
6. Qu'est-ce qui intéresse surtout Mazargues?
7. Pourquoi le docteur ne pouvait-il pas poser de questions aux blessés?
8. De quoi Failleroy parle-t-il pour distraire ses compagnons?
9. Que veulent-ils savoir à ce sujet?
10. Qu'est-ce qu'ils attendent chaque jour avec impatience?

11. Pourquoi ont-ils tous l'impression d'avoir vraiment vu la jeune fille?
12. Pourquoi réveillaient-ils Failleroy vers midi, s'il sommeillait?
13. Pourquoi Mazargues voulait-il sortir de l'hôpital avant Failleroy?
14. Quelle idée Failleroy a-t-il eue pour montrer à la jeune fille qu'il l'aimait?
15. Comment la jeune fille a-t-elle répondu le lendemain?
16. "Une grande tristesse tomba sur la chambre . . ." Quelle est la cause de cette tristesse?
17. Que demande Mazargues à l'infirmière quand Failleroy est mort?
18. A quoi pense-t-il toute la nuit?
19. Quelle déception a-t-il le lendemain matin?
20. Pourquoi, selon vous, Failleroy avait-il inventé l'histoire de la jeune fille?

B *Trouvez dans le texte un mot de la même famille que:*

1. illusoire — nom —
2. le regret — verbe —
3. clair — nom —
4. fiévreux — nom —
5. l'attention — adjectif —
6. la fascination — verbe —
7. inspecter — nom —
8. communiquer — nom —
9. hocher — nom —
10. lever — nom —
11. la médecine — adjectif —
12. l'amour — adjectif —
13. éternel — nom —
14. jaloux — nom —
15. triste — nom —

C *Trouvez dans le texte un mot ou une expression synonyme de:*

1. choquer; toucher rudement
2. qui ne voit pas
3. application de médicaments
4. un bruit confus
5. diminué considérablement
6. grosse automobile pour le transport des marchandises
7. des cheveux roulés sur la nuque
8. amusant; drôle
9. encore une fois

146

10. ne pas parler sérieusement
11. bizarre; extraordinaire
12. la bouche d'un animal carnassier
13. précisément
14. indifférent
15. le commencement

Le Médecin de Campagne

A   *Répondez en français aux questions suivantes:*

1. Pourquoi le Chat vient-il voir le docteur?
2. Quel danger y a-t-il pour le médecin à sortir après le couvre-feu?
3. Pourquoi ne peut-il pas faire grand'chose pour aider le malade?
4. Où avait-on caché le malade?
5. Que fait le Chat juste avant d'allumer l'électricité?
6. Pourquoi prend-il cette précaution?
7. Montrez que le diagnostic du docteur est vague.
8. Pourquoi gardait-on le malade "en observation" avant de l'accepter dans la Résistance?
9. Que remarque le médecin quand il prend la main du malade? (*2 détails*)
10. Qu'est-ce qui préoccupe le docteur au cas où le garçon mourrait?
11. Qu'est-ce qu'on a entendu soudain?
12. Qui était à la porte?
13. Quel rôle le "malade" avait-il joué dans cette affaire?
14. Montrez que le docteur était résolu à ne pas jouer le même rôle.

B   *Trouvez ces expressions médicales dans le texte:*

1. une petite valise qui sert à contenir des instruments
2. un médicament qui calme la douleur

147

3. ce qui résulte d'un excès de substances toxiques
4. le liquide rouge qui circule dans les veines et les artères
5. une élévation anormale de la température d'un homme ou d'un animal
6. le corps d'un homme ou animal mort
7. une petite partie sphérique qui se détache d'un liquide
8. la sécrétion aqueuse émise par les pores de la peau

C   *Trouvez les expressions qui correspondent aux définitions suivantes:*

1. la police auxiliaire, ou une armée de citoyens
2. l'heure où il faut éteindre les lumières
3. une petite formation de soldats qui fait une ronde pour veiller sur la sécurité
4. qui possède des revolvers, des fusils etc.
5. celui qui révèle des secrets à l'ennemi
6. tourner une arme vers un objectif
7. une arme automatique individuelle et peu précise
8. explorer en touchant avec la main

D   *Quelles sont ces actions? Que fait-on ici? Modèle: Quand on arrive à sa destination, on l'atteint.*

1. Quand on médite longuement, on ———————— .
2. Quand on cesse de parler, on ———————— .
3. Quand on change une chose de place, on la ———————— .
4. Un chien aboie, un coq chante, un cochon ———————— .
5. Quand on s'incline vers le sol, on ———————— .
6. Quand on indique son indifférence ou son mépris par un mouvement du corps, on ———————— les épaules.
7. Quand on exprime sa peine par des sons plaintifs, on ———————— .
8. Quand un bruit recommence avec une augmentation d'intensité de cent pour cent, il ———————— .
9. Quand on se tourne dans un autre sens, on ———————— .
10. Quand on ferme l'électricité, on l' ———————— .

148

Le Chapeau Blanc

A   *Répondez en français aux questions suivantes:*

1. Pourquoi l'auteur a-t-il fermé les yeux pendant le sermon?
2. Selon l'auteur, de quelles deux façons le chapeau était-il ridicule?
3. Sur quel point l'auteur et le curé étaient-ils d'accord?
4. L'auteur, qu'espérait-il faire en posant la main sur le chapeau?
5. Pourquoi s'est-il mis à détester les fleurs qui se trouvaient sur le chapeau?
6. Que ferait peut-être le curé s'il voyait l'auteur saisir les fleurs?
7. Pourquoi faut-il agir vite?
8. Qu'est-ce que l'auteur a fait de la main gauche? de la main droite?
9. Quand l'auteur s'est-il faufilé de l'église?
10. Malgré son embarras, pourquoi était-il si content?

B   *Trouvez dans le texte le synonyme de:*

1. naturellement
2. satisfaire
3. embarrassé
4. saisir
5. finir
6. certainement
7. parler d'une façon hésitante
8. bientôt
9. être assez
10. le chagrin

C   *Quelle préposition accompagne ces verbes?*

1. s'agir . . .
2. se fier . . .
3. laisser . . .
4. avoir . . .
5. s'intéresser . . .
6. convenir . . .
7. se rendre compte . . .
8. avoir hâte . . .
9. avoir le temps . . .
10. craindre . . .

D   *Remplacez les tirets en utilisant des mots choisis du texte:*

1. Quand on est d'accord sur un sujet, on dit que la question a été _____ .

2. Quand on commence à discuter un sujet complètement nouveau, on dit qu'on ———— ——— ————— —————.

3. Au Canada beaucoup de gens utilisent l'expression "demander une question," mais en France, tout le monde dit "————— une question".

4. Quand quelqu'un est fou, on peut dire qu'il est ———— ———— —————.

5. Celui qui a peur des chats noirs est —————————.

Vocabulaire

A

abaisser to lower
abandonner to abandon;
 s'— to yield
abattre to strike down; to
 "bump off"
aboiement *m.* barking
abolir to abolish
abomination *f.* abomination;
 dreadful deed
abonnement *m.* subscription
aborder to approach; to speak
 to (*a person*)
aboutir to come to an end
abri *m.* shelter
abriter to shelter
absence *f.* absence
absolu –e *adj.* absolute
s'abstenir to refrain
accabler to overwhelm
s'accommoder de to put up
 with
accord *m.* agreement
accorder to grant
accoutumer to accustom
accrochage *m.* accidental
 meeting, collision
accrocher to hook on to;
 s'— à to cling to
s'accumuler to pile up
achat *m.* purchase
acheteur *m.* purchaser
acquérir to acquire
acquis *see* acquérir
s'acquitter de to carry out,
 to accomplish
acte *f.* legal document

action *f.* stock, share
admirateur *m.* admirer
admiratif –ve *adj.* admiring
adosser to be at the back of
adresse *f.* address
adresser la parole à to speak
 to
affaiblir to weaken
affaiblissement *m.* weakening,
 lessening
affaire *f.* affair; les —s *pl.*
 business
affermir to state, to assert
affichage *m.* listing; appearance on notice board
affronter to confront; to show
 off
agacer to set on edge, to
 irritate
âge *m.* age
âgé –e *adj.* old (*referring to
 people*)
agence (*f.*) de tourisme
 tourist agency
s'agenouiller to kneel down
agent *m.* agent; — de police
 policeman
agir to act
s'agiter to become nervous;
 to move about
agitation *f.* excitement
agonisant *m.* dying man
agoniser to torment almost to
 death
agressif –ve *adj.* aggressive
aguets : aux aguets ready for
 action
aide *f.* help

151

aigu –ë *adj.* sharp
aiguille *f.* needle; hand
 (*of a clock*)
aile *f.* wing; — **du nez**
 nostril
ailleurs *adv.* elsewhere;
 d'— moreover, furthermore
aimable kind, pleasant
aîné –e *adj.* eldest
ainsi *adv.* as, thus
aisance *f.* ease; freedom from
 worry
aise *f.* ease, comfort
aisé –e *adj.* easy, effortless
ajouter to add
alambic *m.* still
aligner to line up
alimentaire concerning food
allée *f.* (*side*) aisle
allègrement *adv.* cheerfully
allemand –e *adj.* German
allonger to extend; **s'—**
 to stretch out
allons! good! oh yes!
allumer to light
allusion *f.* allusion, reference
alpaca *m.* alpaca (*a tough
 cloth, usually black*)
amabilité *f.* kindness
amant *m.* lover
amasser to collect
ambiance *f.* atmosphere
âme *f.* soul
amende *f.* fine (*for breaking
 the law*)
amener to bring (*a person*)
ami *m.* friend
amidonné –e *adj.* starched
amitié *f.* friendship
amour *m.* love
amoureux –se *adj.* in love

an *m.* year
anarchiste *m.* anarchist
ancien –ne *adj.* former
 (*when it precedes the noun*);
 old (*when it follows*)
âne *m.* donkey
angoisse *f.* anxiety
anneau *m.* ring
année *f.* year
annonce *f.* advertisement
annoncer to announce
anomalie *f.* abnormality
anonymat *m.* anonymity
anormal, –e *adj.* abnormal
anxiété *f.* anxiety
anxieux –se *adj.* anxious,
 uneasy
aquarium *m.* aquarium
apaiser to appease, to calm
apercevoir to notice
apparaître to appear
appareil *m.* apparatus,
 mechanism
apparence *f.* appearance
appartenir to belong
appliqué –e *adj.* studied;
 feigned
apprécier to appreciate
apprivoiser to tame
approfondi –e *adj.* searching,
 thorough
approuver to approve of
appuyer to lean; **s'—**
 to support oneself
après after(*wards*); **d'—**
 prep. according to; **l' —**
 –midi *m.* afternoon
aptitude *f.* capacity for doing
 something
aqueux –se *adj.* watery
ardent –e *adj.* hot

ardeur *f.* warmth
argent *m.* money; — **liquide** cash
argot *m.* slang
aristocratie *f.* aristocracy
armée *f.* army; — **de choc** shock troops
armurier *m.* gunsmith
arôme *m.* aroma, perfume
arracher to snatch
arrêt *m.* stop, halt
arrêter to stop
arrivée *f.* arrival
arrogant –e *adj.* proud, overbearing
arrondi –e *adj.* round, circular
arroser to sprinkle
articuler to utter
ascenseur *m.* elevator
aspirer to breathe
assaisonnement *m.* seasoning, flavouring
assaut *m.* assault
s'asseoir to sit (*up or down*)
s'assembler to meet; to stay together
assistance *f.* audience
associé *m.* partner
assommant –e *adj.* dreadfully boring
s'assoupir to doze
assurer to assure
astéroïde *m.* asteroid (*tiny planet*)
astuce *f.* craftiness, guile
atelier *m.* workroom, studio
atome *m.* atom
atroce *adj.* atrocious, dreadful
s'attaquer à to attack
s'attarder to stay late
atteignèrent *see* atteindre

atteindre to reach
s'attendrir to become emotional
attente *f.* wait; expectation
atténuer to lessen, to reduce
atterré crushed, bewildered
attirer to attract
attrait *m.* attraction, lure
attraper to catch
aube *f.* dawn
aubergiste *m.* innkeeper
audace *f.* boldness, daring
au-dehors outside; elsewhere
au-dessus de above, over
augmenter to increase
auparavant *adv.* before
auprès de beside, near
aussitôt immediately
autant *adv.* as much; — **que** as well as; — **ouvrir** (*we*) might as well open (*the door*)
autel *m.* altar
authentifier to make legal
autocar *m.* bus
autorisation *f.* permission
autoriser to authorize
autoritaire *adj.* firm, authoritative
autour de around
autrefois *adv.* formerly
avaler to swallow
avance *f.* lead; **d'—** ahead of time, early
avancer to advance
avare *m.* miser
avarice *f.* avarice
avenir *m.* future
aventure *f.* adventure
avertir to warn
aveu *m.* confession
aveugle *adj.* blind

153

avide *adj.* eager, keen
avidement *adv.* greedily
avis *m.* opinion; **changer d'—** to change one's mind; **être d'—** to agree
s'aviser to become aware
avouer to confess

B

se **baigner** to bathe; to go for a swim
la **baisse** drop; lessening
baisser to lower; **se —** to bend down
balancé —e *adj.* poised
balbutier to stammer
la **balle** bullet
banal —e *adj.* ordinary, common-place
le **banc** bench, seat
le **banquier** banker
le **barbon** "stuffed shirt"
la **baraque** shed, shanty
baroque *adj.* baroque (*excessively ornate*)
la **barre** bar, crossing
la **barrière** gate
bas —se *adj.* low
la **base** base
le **bassin** pool, basin
la **bassine** basin
la **bataille** battle
la **bâtisse** building (*huge and badly built*)
le **bateau** boat
le **bâtiment** building
bâtir to build
le **battement** beating
battre to beat; to strike

(*clock*); to mark; **se —** to fight
la **beauté** beauty
béatement *adv.* smugly
bénéficier to benefit
bénin *adj.* kindly
la **béquille** crutch
bercer to rock to sleep
la **besogne** task
le **besoin** need
bête *adj.* stupid
beurré —e *adj.* buttered
le **bibelot** trinket, small valuable object
bien *adv.* well; **à — y penser** on second thought
bienfaisant —e *adj.* beneficial
le **bienfaiteur** benefactor
biens *m.pl.* wealth, riches
le **bifteck** beefsteak
bihebdomadaire *adv.* twice weekly
le **bijou** jewel
le **billet** ticket; banknote
biscornu —e *adj.* mis-shapen
le **bistro(t)** small café or tavern
bizarre *adj.* strange
blâmer to blame, to find fault with
blanc —he *adj.* white
la **blancheur** whiteness
le **blé** wheat
blesser to wound
la **blessure** wound
bloquer to block
se **blottir** to snuggle up
le **bois** wood
la **bombe** bomb
le **bond** jump; **d'un — with a start**
bondir to leap

le **bonheur** happiness
le **bonhomme** man (*term of affection*)
bonnement *adv.* simply
la **bonté** kindness
le **bord** edge, brim; à — on board
la **bosse** lump, bump
le **bossu** hunch-back
la **botte** boot
la **bouchée** mouthful
la **boucherie** butcher shop
la **boucle** curl, loop
boucler to fasten; to pack up
le **boudin** blood sausage
la **bouffeé** puff, gust
bouffer to eat, to stuff
bouffi –e *adj.* bloated, swollen
bouger to move
la **boule** ball
le **bouquet** bouquet, aroma
bourdonner to buzz
bourrer to stuff
bousculer to bump, to jostle
le **bourreau** executioner, hangman
le **bout** end
la **bouteille** bottle
le **bouvier** cowherd
le **bracelet-montre** wrist watch
le **brancardier** stretcher-bearer
le **branchage** branches, boughs
braquer to turn hard; to point at
le **bras** arm
le **brasier** blazing mass
bref, brève *adj.* short
brillant –e *adj.* shining
briller to shine
brinquebaler to swing back and forth
la **brique** brick

brisé –e *adj.* shattered, crushed
briser to break
la **broche** brooch, pin
brosser to brush
le **brouillard** fog
le **brouillon** rough outline
le **bruit** noise
le **brun** the dark fellow
brûler to burn
brusque *adj.* sudden
brusquement *adv.* abruptly
le **buste** bust, chest
la **butte** mound
le **buveur** drinker

C

"**Ça y est?**" Is that it? Is it all over?
le **cabinet** room, office
le **cache-cache** hide-and-seek
le **cadavre** corpse
le **cadeau** present, gift
le **cadenas** padlock
le **cadran** clock face; **la grande croix du** — the four major figures on a clock, i.e. 3, 6, 9, 12.
le **café** coffee; café
le **caillou** pebble
la **caisse** cashier's office; pay desk, cash box
le **caissier** cashier
le **cal** callousness
calculer to calculate
la **calorie** calorie
le **cambriolage** robbery
le **camion** truck

le **camp** camp; **changer de —** to change sides

le **cantonnement de repos** rest camp

caoutchouté –e *adj.* rubberized (i.e. *on rubber tires*)

le **cap** cape

la **cape** cloak (*with hood*)

capital –e *adj.* of the utmost importance

la **capitale** capital

le **caractère** nature, character; letter

la **carcasse** carcass

la **caresse** caress

carnassier –ière *adj.* flesh-eating

le **carré** square

la **carrière** career

la **carriole** cart, carriage

la **carte** card

le **carton** cardboard, card

le **cas** case; **c'est le — de le dire** I have to admit it

la **case** box (*for letters*)

le **casque** helmet

se **casser** to break

le **castor** beaver

la **catégorie** group

le **cauchemar** nightmare

causer to chat, to talk; to cause

céder to yield, to give in

la **ceinture** belt

céleste *adj.* celestial, heavenly

le **célibataire** bachelor

la **cellule** (*monk's*) cell

la **cendre** ash

la **centaine** about a hundred

le **cercle** circle

certes! to be sure!

certifier to certify

la **certitude** conviction

le **cerveau** brain

cesser to stop, to cease

chacun –e *adj.* each one

la **chaîne** chain

la **chair** flesh (*frequently plural*)

la **chaire** pulpit

la **chaise** chair

la **chaleur** heat

le **champ** field

la **chance** chance, luck

le **chant** song, singing

chantonner to hum

la **chapelle** chapel

le **chapitre** chapter; council of monks

le **charbon** coal

la **charge** burden

le **chargeur** clip (*the part of an automatic pistol into which the bullets are inserted*)

le **chariot** trolley; wheeled stretcher

la **charité** charity

la **charnière** hinge

chasser to hunt

le **chasseur** hunter

châtain –e *adj.* chestnut, dark brown

le **châtelain** lord (*of a castle*)

le **château** castle

chaud –e *adj.* warm, hot

le **chauffeur** chauffeur

la **chaussure** shoe, boot

la **chaumière** thatched cottage

la **cheminée** fireplace

le **cheminement** route; place to walk

cheminer to walk

la **chemise** shirt

le **chêne** oak
la **chevelure** head (*of hair*)
  cheveux *m.pl.* hair (*on head*)
le **chignon** bun, coil (*of hair*)
le **choc** shock; impact
le **chirurgien** surgeon
le **choeur** choir
  choisir to choose
le **choix** choice
  choquer to shock
la **chose** thing
le **chou** cabbage
le **chuchotement** whisper
  chuchoter to whisper
la **chute** fall, descent, drop
la **cible** target
  ci-dessous *adv.* below
le **ciel** (*les cieux pl.*) heaven, sky
le **cimetière** cemetery
la **circulation** traffic
  ciseaux *m.pl.* scissors
la **cité** city
  citer to quote, to name
le **civil** civilian (*non-military*)
  life
le **clair de lune** moonlight
  claquer to click
la **clarté** light, brightness
la **clé** key
la **clef** key
la **clientèle** regular customers
  clignoter to blink; to use a
  turning signal
  cliqueter to rattle
la **cloche** bell
le **clocher** steeple
la **cloison** partition
le **cloître** monastery
le **clou** nail; large studs to mark
  a pedestrian crossing
  clouer to nail

le **cochon** pig
le **cocktail** cocktail party
le **coeur** heart
le **coffre** chest
le **coiffeur** hairdresser
la **coiffure** head gear, hat;
  way of doing one's hair
le **coin** corner, spot
  coïncider to coincide
le **col** collar
la **colère** anger
  coléreux –se *adj.* angry
  coller to glue, to stick
la **colline** hill
le **colon** colonist
la **colonnette** small pillar
la **colonie** colony
  combattif –ve *adj.* pugnacious
la **combinaison** combination
la **combine** scheme; (*secret*)
  arrangement
  combiner to combine
la **commande** order
  commander to order
  commencer to begin
  comment how? what is it
  like?
le **commerce** business
  commercial –e *adj.* commercial
le **commis** clerk
le **commissariat** (*police*) station
la **commission** errand
  commun –e *adj.* common
la **communauté** community
  complaire to please, to oblige
  complémentaire complimentary
la **composition** composition;
  formula
  comprimer to compress, to
  squeeze

le **comptable** bookkeeper
le **compte** account, calculation
compter (*sur*) to count (*on*)
le **comptoir** counter
concevoir to conceive; to
    imagine
conçu *see* concevoir
concierge *m. or f.* superinten-
    dent (*of an apartment
    building*)
conclure to conclude, to
    finish, to draw conclusion
concourir to compete
la **concurrence** competition
conditionner to condition
conduire to lead; to conduct;
    to operate; **se —** to behave
la **confiance** confidence
la **conférence** lecture, conference
confiant —e *adj.* trusting,
    confident
se **conformer à** to conform to
le **confort** comfort
confus —e *adj.* confused
le **congé** holiday (*always
    singular*)
congédier to dismiss, to fire
conjuguer to conjugate
le **connaisseur** expert; one who
    understands
connaître to be acquainted
conquérant —e *adj.* conquering
le **conquérant** conqueror
conquérir to conquer
la **conquête** conquest
conquis *see* conquérir
consacrer to devote
la **conscience: avoir —** to
    become aware
consciencieux —se *adj.*
    conscientious

le **conseil** advice
consentir to consent
la **considération** thought;
    problem; motive
considérer to look at thought-
    fully
consoler to console
la **consternation** dismay
constituer to form
construire to construct
consumer to consume
contagieux —se *adj.* contagious
le **conte** story
contempler to gaze at
la **contenance** countenance; facial
    expression
contenir to contain
contenter to satisfy
le **contenu** contents
contenu —e *adj.* continual
contester to dispute
contraire à *prep.* contrary to;
    the opposite of
contrarier to oppose, to vex
la **contrariété** annoyance
le **contrat** contract; written
    agreement
la **contravention** ticket (*for a
    traffic offence*)
contre against; **par —** on
    the other hand
la **contrée** countryside
convaincre to convince
convenable suitable
converger to converge
convoiter to covet, to desire
la **coquette** flirt
la **corde** rope
le **cornet** horn; cup
cornu —e *adj.* horned
correctement *adv.* properly

158

correspondre to correspond
corriger to correct
la corromperie corrupt act
le côté side; à — de beside
la côte coast
le cothurne sandal
se côtoyer to sit side by side;
    to crowd (into)
le cou neck
coucher to sleep, to lie down;
    le — de soleil sunset
le coude elbow
la coulée pouring
couler to run (of a liquid);
    to sink; se — to slip, to
    glide
la couleur colour
le couloir corridor
le coup blow, stroke; tout d'un
    — suddenly; — . . . partir
    to fire; — de théâtre sud-
    den change (as in a play)
la coupe cutting out (of clothes)
couper to cut, to cut across
la cour yard
courageux –se adj. courageous
le courant current; dans le — de
    sometime during; mettre
    au — to inform
courbé –e adj. bent
courir to run
le courrier mail
le cours course; au — de
    during
court –e adj. short
la course race
la courtoisie courtesy, politeness
le coussin cushion, bed
le couteau knife
coûter to cost
coûteux –se adj. expensive

la couture fashion; sewing
le couvre-chef head-dress
le couvre-feu curfew
couvrir to cover
craignant see craindre
la crainte fear
craindre to fear
le crâne skull
le craquement snap, cracking
la cravate necktie
crayeux –se adj. (made of)
    chalk
la création creation; entrer dans
    la — to be created
le credo (Apostles') Creed
créer to create
crépiter to crackle, to tap
la crête crest
le creux hollow
crever to burst; to die
crier to shout, to cry out
la crise "depression", crisis;
    attack
se crisper to become tense
critiquer to criticize
croire to believe, to think
la croisade crusade
se croiser to meet in passing
la croisière cruise
la croix cross, medal (Croix de
    Guerre)
la crosse butt
crouler to crumble
cru –e adj. raw, harsh
la cruauté cruelty
cruellement adv. cruelly
crut see croire
le cuir leather
cueillir to gather
la cuirasse breast-plate, armour
la cuisinière cook

159

la **cuisse** thigh
le **cuivre** copper
le **culte** worship
le **curé** clergyman, rector
curieux –se *adj.* curious
la **curiosité** curiosity
cylindrique *adj.* cylindrical
cynique *adj.* cynical

D

dactylo *m. or* f. typist,
  stenographer
le **dactylographe** typewriter
  (*Fr. Can.*)
dactylographier to type
daigner to deign, to con-
  descend
dames (*game of*) checkers
le **damier** checker board
dangereux –se *adj.* dangerous
davantage *adv.* (*still*) more
déambuler to stroll
se **débarrasser de** to get rid of
le **débarquement** landing
débarquer to land
se **débattre** to struggle; to be
  debated
débaucher to come out, to
  reappear
debout standing
déboutonner to unbutton
débrider to slit, to open up
se **débrouiller** to manage, to get
  along
le **début** beginning
décapotable *adj.* convertible
décemment *adj.* nicely
la **décence** decency, morality
la **déception** disappointment
décevoir to disappoint

se **décharger de** to free oneself
  from
déchirer to tear
la **déclaration en règle** formal
  application
le **déclic** click, sharp noise
décollé –e *adj.* protruding
décolleté –e *adj.* low-cut
découcher to sleep away from
  home
découper to cut out
découragé –e *adj.* discouraged
découvrir to discover, to
  reveal
décrire to describe
décrocher to remove (*from a
  hook*)
décuplé multiplied by ten
défaillant –e *adj.* failing,
  weakening
la **défaillance** failing
la **défaite** defeat
le **défaut** failing, fault
défendre to defend
défier to defy
le **défunt** deceased, dead man
dégager to free, to loosen
dégonfler to deflate, to
  collapse
le **dégoût** disgust
déguerpir to get out, to scram
déguster to taste, to sip
dehors outside; **en — de**
  prep. except for, excluding
le **déjeuner** lunch
au delà de *prep.* over and
  beyond; **un au-delà** the
  next world, the beyond
délaisser to abandon, to
  forsake
délibérer to discuss

160

délimité –e *adj.* demarcated, surveyed

délirer to be delirious, to rave

la **délivrance** release

délivrer to free

le **déluge** flood

e **démaquiller** to remove make-up

demeurer to dwell, to remain

a **demoiselle** spinster, maid

le **démon** devil

dénaturé –e *adj.* perverted, queer

a **densité** density; **sans —** intangible, unreal

la **dent** booth

le **départ** departure

dépasser to pass, to get past

dépenser to spend (*money*)

dépeupler to depopulate

le **dépit** vexation

déplacer to move; to push aside; **se —** to move about

déplaisant –e *adj.* unpleasant, nasty

le **déplaisir** displeasure

déplier to unfold

déposer to deposit, to put

dépouiller to strip, to remove (*leaves, bark, etc.*)

depuis since

déranger to disturb, to trouble

dériver to drift away

derrière behind

dès beginning with

désarmant disarming (*apparently innocent*)

désert –e *adj.* deserted

se **désespérer** to despair

le **désespoir** despair

déshabiller to undress

le **désintéressement** lack of interest

le **désir** desire

désolé –e *adj.* sad, dreary

désormais henceforth, in future

dès que as soon as

le **dessert** dessert

le **dessus** top; **—** *adv.* above; **par —** *prep.* over

le **destin** fate, destiny

la **destinée** destiny

destiner to intend

destructif –ve *adj.* destructive

détaché –e *adj.* separate, indifferent; **pièce —** spare part (*of car*)

détaillé –e *adj.* detailed, careful

détailler to divide up, to count separately

détendu –e *adj.* relaxed

la **détente** trigger

le **détour** detour; **faire un —** to go by a roundabout way

détourner to turn aside

le **détritus** rubbish

détruire to destroy

le **deuil** bereavement, mourning

devant in front of, before

la **devanture** show window

devenir to become

dévergondé *adj.* profligate, licentious

dévisser to unscrew

devoir to be obliged to

dévorer to devour

dévoué –e *adj.* devoted

161

le **diable** devil
diabolique *adj.* devilish
le **diamantaire** diamond
  merchant
dicter to dictate
diététique *adj.* concerning
  diets
la **difficulté** difficulty
diffuser to broadcast
digérer to digest; *fig.* to get
  accustomed to
digne *adj.* dignified, worthy
diminuer to diminish, to
  decrease
la **dînette** snack, picnic
le **diplôme** diploma
dire to tell, to say
la **direction** management
la **directrice** principal
se **diriger** to make one's way
le **discours** speech
discrètement *adv.* cautiously
la **discrétion** prudence
discuter to converse, to
  discuss
la **disgrâce** misfortune
disparaître to disappear
la **disparition** disappearance
dissimuler to hide
dissiper to take away,
  to cover
dissolu –e *adj.* dissolute
dissoudre to dissolve
dissout *see* dissoudre
la **distillerie** distillery
distraire to amuse, to enter-
  tain; to chase away
distrait –e *adj.* absent-minded
la **divagation** raving
le **divan** sofa
diviser to divide

le **domaine** domain, property
la **domiciliation** delivery,
  reception
le **dommage** pity, damage
dont whose
doré –e *adj.* gilt, golden
le **dos** back
doucement *adv.* gently
la **douceur** gentleness
la **douleur** pain
douloureux –se *adj.* painful
le **doute** doubt
se **douter de** to suspect
la **douzaine** dozen
le **drap** sheet
dressé sitting (*standing*) up
se **dresser** to stand up
le **droit** right
droit –e *adj.* right, straight
drôle *adj.* queer, funny
dupe *adj.* easily fooled
durant *prep.* during
la **durée** duration
durer to last
dus *see* devoir

E

s'ébaucher to become evident
  (*only in outline*)
éblouir to dazzle
éblouissant –e *adj.* dazzling
ébranler to shake
échange *m.* exchange
échapper to escape; **s'— de**
  to break free
échauffant heating
échanger (*contre*) to
  exchange (*for*)
échec *m.* failure

162

s'éclairer to brighten
éclat *m.* burst; flash; splinter
éclatant –e *adj.* ringing
éclater to burst out
économies *f.pl.* savings
économiser to economize
écouter to listen to
écrasement *m.* crushing
écraser to crush
s'écrier to explain
écrit *m.* document
écriteau *m.* sign
écriture *f.* handwriting;
  aux écritures at desk work,
  keeping accounts
écrivain *m.* writer
écrouler to crumble, to
  collapse
écru *m.* gold coin
écumer to foam (*at the
  mouth*)
écumeur *m.* pirate
écurie *f.* stable
édifice *m.* building
effaroucher to frighten away
effectivement *adv.* in actual
  fact
effleurer to touch lightly
effet *m.* effect; **en —** in fact
s'efforcer to make an effort
également *adv.* equally
égoïsme *m.* selfishness
égyptien –ne *adj.* Egyptian
élastique *m.* rubber band
élevé brought up; **bien —**
  well-mannered
élever to raise
éliminer to eliminate
élite *f.* a most distinguished
  person; the pick (*of an
  army etc.*)

élixir *m.* a soothing drink
éloge *m.* praise
s'éloigner to go away
emballeur *m.* one who packs
  boxes
embarrasser to embarrass
embaucher to hire
embrasser to kiss
s'embrouiller to get involved
émerger to emerge
émettre to put forth
emmener to take (*away*)
émotion *f.* emotion, feeling
empêcher to prevent
empiler to pile up
emplir to fill
emploi *m.* employment; use
employé *m.* employee
emporter to carry off, to
  remove
empoisonnement *m.* poisoning
empoisonner to poison
emprisonner to emprison
ému –e *adj.* moved, touched
s'en aller to go away; **— en
  morceaux** to fall to pieces
encadrement *m.* frame
encadrer to frame
encaisser to enclose
s'enchaîner to form a chain
enchanté –e *adj.* delighted
enclos *m.* enclosure; space
  surrounded by a wall
encore yet, again
encre *m.* ink
s'endormir to fall asleep
endosser to put on
endroit *m.* spot, place
énergie *f.* energy
énervant –e *adj.* exasperating
s'énerver to get excited (*about*)

163

enfance *f.* childhood
enfant *m.* child; **les petits —s** grandchildren
enfer *m.* hell
enfermer to shut up
enfin at last
enfoncer to sink; **s'—** to plunge
enfouir to hide
s'engager to enter (*a trench or a tunnel*)
engin *m.* device, machine
énigmatique *adj.* mysteriously silent
enlever to remove
ennemi *m.* enemy
ennui *m.* trouble, worry
ennuyé **–e** *adj.* annoyed
ennuyer to annoy; **s'—** to become bored
ennuyeux **–se** *adj.* annoying
énoncer to announce (*in detail*)
s'enrichir to become rich
ensoleillé filled with sunshine
ensuite then, next
entendre to hear, to understand; **bien entendu** naturally; **s'—** to understand one another, to get along
enterrer to bury
enthousiasme *m.* enthusiasm
entier **–ère** *adj.* whole, complete
entourer to surround
entraîner to have as result, to cause; to drag
entre between, through
entrée *f.* admission
entrelacé **–e** *adj.* intertwined

entreprise *f.* undertaking
entretenir to support, to lend force to
entretien *m.* care, maintenance; topic of conversation
entrevoir to glimpse
envie *f.* envy, jealousy; **avoir — de** to desire
envier to be jealous of
envieux **–se** *adj.* jealous
environnant **–e** *adj.* surrounding
environs *m.pl.* surrounding country
s'envoler to fly away, to hurry off
envoyer to send
épais **–se** *adj.* thick
épaisseur *f.* thickness
épargner to spare, to save
épingle *f.* pin
épouser la forme to conform to the shape
époux *m.* husband
éprouver to feel
épuisé **–e** *adj.* worn out, exhausted
équilibre *m.* balance
errer to wander
erreur *f.* error
escorter to accompany
espace *m.* space
espèce *f.* kind, species
espérance *f.* hope
espérer (*j'espère*) to hope
espion *m.* spy
espoir *m.* hope
esprit *m.* mind
esquimau Eskimo
essayer to try, to attempt
essence *f.* gasoline

essentiellement *adv.* by nature; mainly
essoufflé out of breath
essuyer to wipe, to dry
estime *f.* opinion, value
estimer to think highly of
établi *m.* workbench
établir to establish, to fix
établissement *m.* establishment
étage *m.* storey
s'étaler to spread
étape *f.* stage, portion
état *m.* state, condition
éteignit *see* éteindre
éteindre to extinguish
étendre to extend; **s'—** to cover
étendue *f.* extent
éternité *f.* eternity
étinceler to sparkle
étincelle *f.* spark
étiqueteurs those who put on labels
étirer to stretch out, to lengthen
étoffe *f.* cloth
étonnant –e *adj.* astonishing, surprising
étonnement *m.* astonishment
étouffer to smother, to suffocate
étrange *adj.* strange
étranger *m.* stranger, foreigner
étrangler to strangle
être *m.* being
étude *f.* study
étui *m.* case, container
eût *see* avoir
évaporer to evaporate
s'éveillé –e *adj.* awake
s'éveiller to wake up

éviter to avoid
évoquer to call forth
exactitude *f.* precision
exalté –e *adj.* fanatical
exalter to extol, to praise
excentrique *m.* eccentric, queer person
excepté except
exceptionnel –le *adj.* exceptional
exercer to exercise, to wield
excès *m.* excess
exciter to excite, to arouse; **s'—** to become upset
exclusif –ve *adj.* special
exemplaire *m.* copy
exemple *m.* example
exigence *f.* demand
exiger to demand
exister to live
expédition *f.* expedition
expérience *f.* experience, experiment
expier to expiate, to atone for
explication *f.* explanation
expliquer to explain
exploiter to exploit
explorateur *m.* explorer
exportation *f.* exporting
exposer to expose; **s'—** to put oneself in the position
exposition *f.* exhibition
exprès *adv.* on purpose
exquis –e *adj.* lovely
extérieur –e *adj.* exterior
extraire to extract

F

la fabrication manufacture
la face face; **en — de** opposite

fâché –e *adj.* angry
se fâcher to get angry
la façon manner; **de toutes —s** at any rate
la facture bill (*from a store*)
la fadeur sickliness
la faiblesse weakness
faillir to almost do something
faire to make, to do, to cause; **se —** to take place, to be completed; **se — croire** to convince each other
le fait fact, deed; **tout à —** completely
falloir to be necessary
fameux –se *adj.* famous
familier –ère *adj.* familiar
familièrement *adv.* familiarly
farfouiller to rummage, to search, to grope
le farfouillis rummaging, rooting around
la farine flour
fasciner to fascinate
fatigant –e *adj.* tiring
fauché without money, broke
se faufiler to sneak (*out*)
faut *see* falloir
la faute fault; **sans —** without fail
le fauteuil armchair; **le — -relaxe** deck chair
faux, fausse *adj.* false
la fée fairy
Feldgendarmerie German police headquarters
féliciter to congratulate
féroce *adj.* ferocious
férocement *adv.* savagely
la férocité ferocity

fervent –e *adj.* ardent
la fesse buttock, rump
festoyer to celebrate
la fête feast, holiday
fêter to celebrate
le feu fire
la feuille page, leaf; **— de permission** crime sheet (*military record of offences*)
feuilleter to turn over (*pages*)
feuillu –e *adj.* leafy
ficeler to tie up (*with string*)
se ficher: je m'en fiche pas mal! I don't give a care!; **s'en ficher** not to care
fidèle *adj.* faithful
se fier à to trust
fièrement *adv.* proudly
la fièvre fever
fièvreux –se *adj.* feverish
se figer to congeal, i.e. to stand still
la figure face
se figurer to imagine
le fil de fer wire
filasse *adj.* tow-coloured
la file line
filer to run, to get away
la fin end (*in time*)
finalement *adv.* finally
la fine brandy, liqueur
fixer to stare at, to fasten
flairer to smell, to detect
flamboyer to glow
la flamme flame
flâner to be idle, to loiter
flatter to flatter
flatteur –se *adj.* flattering
la fleur de lis lily
le fleuve river
le flic policeman, cop

flotter to float
la fois time; **une —** once;
  à la — simultaneously
la folle madwoman
le foin hay
la fonction function; **les fonctions**
  work
le fond bottom, base; **au —**
  after all, actually
fonder to base, to found
la force strength
forcer to force, to break open
la forêt forest
le formol disinfectant
la formule formula, (*printed*)
  form
fortement *adv.* emphatically
fou, folle *adj.* crazy, mad,
  foolish
fouiller to dig; **il peut se —**
  nothing doing
la foule crowd
le foyer home (*lit. hearth*)
la fraîcheur coolness, cool air
fraîchir to become fresh or
  cool
frais, fraîche *adj.* fresh
franchement *adv.* frankly
franchir to cross
frapper to strike, to tap
freiner to brake
frémir to tremble
fréquenté –e *adj.* crowded
fréquenter to attend regularly,
  to patronize
la friandise delicacy, tid-bit
frileux –se *adj.* chilly
frisé –e *adj.* curly
le frisson shudder, thrill
frissonner to tremble
froidement *adv.* coldly

le froissement rustle
froisser to crumple
le frôlement rustling, rasping
  noise
froncer to wrinkle; **— le**
  sourcil to frown
le front forehead
la frontière frontier, border
le frottement rubbing
frotter to rub
fuir to flee, to run away
la fuite flight, escape; **— d'eau**
  leak in the plumbing
la fumée smoke
fumer to smoke
le fumier manure
fumigène smoke-producing
funérailles *f.pl.* funeral
furieux –se *adj.* furious
furtif –ve *adj.* furtive
le fusil rifle
fusiller to shoot
le fût barrel, cask

G

gagner to gain, to win, to
  earn
gaiement *adv.* gaily
le gaillard fellow
le gain profit
la galaxie galaxy, group of stars
le galon stripe (*used to indicate*
  rank in the army)
la garantie guarantee
garantir to guarantee
la garce trollop
la garde guard; **en —** in
  (*your*) charge
garder to keep

le **gardien** caretaker, watchman
garer to park (*a car*)
le **gars** fellow, "guy"
le **gaspilleur** wastrel; — –se *adj.* wasteful
gâté –e *adj.* spoiled
le **gâteau** cake
gâter to spoil
le **gaz** gas; — **sominal** sleeping gas; — **léthal** poisonous gas
la **gelée** jelly
gémir to groan
le **gémissement** groan
gênant –e *adj.* embarrassing, awkward
la **gêne** embarrassment
génial –e *adj.* inspired, full of genius
le **genre** kind (*of person*)
le **genou** knee
gens *m.pl.* people
gentil –le *adj.* nice
gentiment *adv.* nicely, neatly
le **gérant** manager
le **geste** gesture
la **gifle** slap
gigantesque *adj.* gigantic
le **gigot** leg of mutton
le **gilet** jacket, vest
la **glace** mirror
glacé –e *adj.* icy
glisser to slide, to slip
le **globe** globe
la **gloire** glory
le **gobelet** goblet
la **gorge** throat
le **goût** taste, liking
goûter to taste; — **à** to enjoy
la **goutte** drop
gouverner to control

la **grâce** grace, charm; — **à** thanks to
le **grain** grain
la **graisse** fat
Grande (Chartreuse) Carthusian Monastery
la **grand'messe** high mass
la **grappe** cluster
gratuit –e *adj.* free, at no cost
grave *adj.* serious
grecque *adj.* Grecian
grêle *adj.* feeble, frail
la **grenade** small bomb
griffer to scratch
la **grille** *f.* bars (*of a cage*)
griller to grill, to roast
la **grimace** contortion of the face
le **grincement** grinding, squeaking
grincheux –se *adj.* grumpy
gris –e *adj.* grey; intoxicated, tipsy
la **grisaille** greyness, monotony
grisant –e *adj.* intoxicating
grogner to grunt
grommeler to grumble
gros –se *adj.* large, heavy
grossier –ère *adj.* coarse, rough; **erreur grossière** glaring blunder
grossir to grow larger (*fatter*)
grouiller to swarm, to crawl
le **groupement** group, cluster
la **guenille** old coat, rag
guère (*avec 'ne'*) hardly
le **guerrier** warrior
guetter to observe carefully
la **gueule** mouth (*of animal*); **ferme ta gueule!** shut up!
gueuler to bawl, to cry out

H

*indicates an aspirate H

habiller to dress
habit *m.* dress, costume
habitant *m.* inhabitant
habitation *f.* dwelling
habitude *f.* habit; **d'—** usual
habitué *m.* regular customer
s'habituer à to get used to
***hache** *f.* axe
hagard –e *adj.* haggard, wild-looking
***haie** *f.* hedge
***haine** *f.* hate
***haïr** to hate
haleine *f.* breath
halètement *m.* gasping sound
haleter to pant, to be short of breath
***hanche** *f.* hip
***hasard** *m.* luck, chance
***hâte** *f.* haste; **avoir —** to be in a hurry; **se hâter** to hurry
hausser to shrug
***haut-parleur** *m.* loud speaker
***hautain –e** *adj.* haughty
***hauteur** *f.* height
hein! *exclamation indicating a question, or agreement*
herbe *f.* grass; *pl.* weeds, herbs
herbivore *adj.* grass-eating
héritage *m.* inheritance
hériter de to inherit
héritier *m.* heir
héritière *f.* heiress
hésiter to hesitate
***hêtre** *m.* beech (*tree*)

heure *f.* hour, time; **tout à l'—** soon
heureusement *adv.* fortunately
***heurt** *m.* knock, bump
***heurter** to strike; **— le regard** to shine in one's eyes
hilarité *f.* hilarity
***hisser** to hoist
***hochement** *m.* nodding
***hocher** to nod
honnêteté *f.* honesty
***honte** *f.* shame
hôpital *m.* hospital
hôtelier *m.* hotel keeper
humain –e *adj.* human
humeur *f.* mood
humidité *f.* humidity, wetness
hurler to shout
hymne *m.* patriotic song
hypnotiser to hypnotize
hypothèse *f.* theory, hypothesis

I

idée *f.* idea
identité *f.* identity
ignominie *f.* insult, cry of shame
ignorer not to know, to be unaware
illusoire *adj.* deceptive
image *f.* picture, image
s'immobiliser to come to a stop
impair –e *adj.* odd, not even
implorer to beg
importer to matter
imprévu –e *adj.* unforeseen
imprimerie *f.* newspaper
improviser to improvise

169

incendie *m.* fire, conflagration
inconcevable *adj.* unimaginable
inconnu *m.* stranger; — *-e*
  adj. unknown
inconsciemment *adv.* uncon-
  sciously, unknowingly
incroyable, *adj.* incredible
indécis *-e adj.* uncertain,
  undecided
indépendant *-e adj.* private
index *m.* forefinger
indication *f.* information;
  pl. instructions
indigne *adj.* unworthy
indigné *-e adj.* indignant
s'indigner to become annoyed
indiquer to indicate
Indoustani *m.* Hindu
industriel *m.* manufacturer,
  factory owner; — *-le adj.*
  industrial
inerte *adj.* motionless
inextinguible *adj.* uncontrol-
  lable
infatigable *adj.* untiring
inférieur *-se adj.* lower
infini *-c adj.* boundless
infiniment *adv.* infinitely
infirme *adj.* infirm, crippled
infirmerie *f.* infirmary, hospital
infirmière *f.* nurse
inflexible *adj.* impossible to
  change, unyielding
infortuné *-e adj.* unfortunate
ingénieur *m.* engineer
ingénieux *-se adj.* ingenious
ininterrompu *-e adj.* con-
  tinuous
injure *f.* insult
inoffensif *-ve adj.* harmless
inondation *f.* flood

inonder to flood
inquiet *-e adj.* nervous
s'inquiéter to become worried
insaisissable *adj.* intangible
inscription *f.* enrolment
insinuation *f.* insinuation,
  pleading with cunning
insistant *-e adj.* earnest,
  insistent
inspiration *f.* inhalation
s'installer to settle, to become
  habitual
instant *m.* moment, instant
instituteur *m.* school-teacher
insupportable *adj.* unbearable
intention *f.* intention; **à votre**
  — expressly for you
interdire to forbid
interdit *-e adj.* forbidden
intérêt *m.* interest
intermittent *-e adj.* intermittent
interrompre to interrupt
intervenir to intervene
intime *adj.* intimate
intimidé *-e adj.* frightened
intoxiquer to intoxicate
Intransigeant name of a Paris
  newspaper
intrigant *-e adj.* fascinating
intrigué *-e adj.* puzzled
intrigue *f.* plot (*of a play*);
  love-affair
intriguer to interest
introuvable not to be found
inutile useless
invention *f.* discovery
invraisemblable *adv.* improb-
  able, exaggerated
irréalité *f.* unreality
irréfutable something which
  cannot be disproved

irriter to irritate
isolé –e *adj.* isolated
isoler to isolate
italien *m.* Italian
ivre *adj.* drunk
s'ivrogner to get drunk

J

jadis *adv.* formerly
le **jalon** landmark
la **jalousie** jealousy
jaloux –se *adj.* jealous
la **jambe** leg
le **jardin** garden
le **jargon** jargon, language
jaunir to become yellow
le **jetée** jetty
jeter to throw
le **jeu** game; gambling
la **jeunesse** youth
la **joie** joy
joindre to join
la **joue** cheek
jouer to play, to gamble
le **joueur** player, gambler
jouir de to enjoy
le **jour** day
la **journée** day
le **journal** newspaper
jovial –e *adj.* jolly, jovial
joyeux –se *adj.* full of joy
juger to judge
jurer to swear
jusque up to, as far as
  (*usually followed by a
  preposition*)
justement *adv.* just then, as it
  happened

K

klaxonner to blow the horn

L

le **laboratoire** laboratory
lâche *adj.* cowardly
lâcher to let go
la **lâcheté** cowardice
laisser to let, to allow;
  to leave (*behind*)
laiteux –se *adj.* milk-coloured
le **lanceur** thrower, pitcher
le **langage** speech
la **langue** tongue, language
le **lapin** rabbit
le **lard** bacon
le **large** room; **prendre le —**
  to get away
la **larme** tear; weeping
larmoyant –e *adj.* tearful
laver to wash
la **lectrice** *lit.* reader;
  fig. tutor, governess
la **lecture** reading
léger, légère *adj.* light
le **lendemain** next day
la **lenteur** slowness
la **levée** raising
lever to raise
la **lèvre** lip
la **liasse** bundle, roll
libérer to let go, to free
libre free
la **licence** licence; **— de lettres**
  degree in arts
le **lien** bond
lier to tie, to join; **se —** to
  get connected

171

le **lieu** place, spot; **au — de** instead of

la **ligne** line

le **linge** underclothing; sheets

limiter to limit

la **liste** list

lire to read

la **liqueur** liquor, liqueur

le **lit** bed

liturgique *adj.* liturgical

le **locataire** tenant, lodger

loger to dwell; to be located

le **logis** home

loin de far from

le **long de** along the length of

longtemps *adv.* for a long time

longuement *adv.* for a long time

la **loque** rag

le **loquet** latch

le **louage** renting; **à —** rented

louer to rent

lourd —e *adj.* heavy

la **lueur** gleam

la **lumière** light

lumineux —se *adj.* light, luminous

lunaire *adj.* lunar, pertaining to the moon

lunettes *f.pl.* (*eye*) glasses

lutter to struggle

luxueux —se *adj.* luxurious

M

maigre *adj.* thin

maigrir to lose weight

la **main** hand

maintenir to support, to hold in position

le **maïs** corn, maize

le **maître** master

majestueusement *adv.* majestically

majeur —e *adj.* greater, major

la **majorité** majority; coming of age

mal *adv.* badly; **— à l'aise** uneasy; **— fait** deformed

malade *adj.* ill, sick

le **malentendu** misunderstanding

malgré *prep.* in spite of

le **malheur** unhappiness; misfortune

la **malice** spitefulness

malicieux —se *adj.* malicious, evil

la **malignité** spitefulness

malin —e *adj.* cunning

malséant —e *adj.* unseemly; inappropriate

le **manant** boor, idiot

la **manche** sleeve

mander to summon

le **maniaque** *lit.* maniac; *fig.* "goat", "nut"

la **manière** manner **tant de —** so much fuss

manifester to show, to prove

le **mannequin** dummy

la **manoeuvre** operation; driving

manoeuvrer to manoeuver

* **manquer** to miss; **— de** to be lacking in

la **manufacture** factory

le **maquis** French Resistance guerilla organization

le **marbre** marble

le **marchand** merchant

172

la marchandise merchandise
la marche step, walk, march;
— arrière reverse gear
le marché market; bargain
marcher to walk; to work
(*of a machine, a plan*)
le marin sailor
la marine navy
la marmaille children, brats
la marque brand
marquer to mark; to distort
marrant —e *adj.* odd, very
funny, hilarious
le Marseillais man from
Marseilles
le marteau hammer
le martyre torture
masqué —e *adj.* masked
masquer to mask, to hide
le massacre massacre
massacrer to massacre
Mastre *a manufactured word*
la masure shack, hovel
le mât mast
matériaux *m.pl.* materials
la matière première raw material
le matin morning
la matinée morning
le maudit devil
Mauge *a manufactured word*
mauvais —e *adj.* bad
la maxime maxim, proverb
mécanique *adj.* mechanical,
i.e. without emotion
méchant —e *adj.* bad, naughty
méconnaissable *adv.* unrecog-
nizable
méconnaître to fail to recognize
mécontenter to displease
le médecin doctor

médical, médicaux *adj.*
medical
le médicament ointment
le médius middle finger
la méfiance distrust
méfiant —e *adj.* suspicious
se méfier de to distrust
mégarde: par mégarde through
carelessness
mégatonne one million tons
mélanger to mix
mêler to mix; to include
le membre limb
menacer to threaten
le ménage household
ménager to spare, to conserve
la ménagère housewife
mener to lead, to take (*a
person*)
la menotte hand (*childish word*)
mentir to tell a lie
le mépris scorn
méprisable contemptible, not
worth bothering about
la mer sea, ocean
merde *coarse expression of
disgust*
le Méridional man from the
south (*of France*)
mériter to deserve
merveilleux —se *adj.* wonderful
mesurer to measure
métallique metal
le mètre meter
mettre to put; se — à to
begin
le meurtre murder
la miche *f.* round loaf of bread
midi noon
la miette crumb
mieux better; le — best

173

le **milicien** civil guard (*controlled by the Nazis*)
le **milieu** environment
militaire *adj.* military
mille a thousand
le **milliardaire** multimillionaire
le **millier** thousand
la **mine** face; **avoir bonne —** to look healthy; **avoir fausse bonne —** to look deceptively healthy
le **mineur** miner
mineur –e *adj.* minor, small scale
la **minuit** midnight
minuscule *adj.* tiny
minuter to time
le **miroir** mirror
la **mise** arrangement; **— en plis** hairdo
la **misère** poverty
la **mitraillette** portable machine gun, tommy-gun
le **mitrailleur** machine gunner
la **mitrailleuse** machine gun
la **mobilisation** mobilization
moche *adj.* ugly, unattractive; **toute — qu'elle est . . .** even if she is ugly . . .
modeste *adj.* modest, ordinary
modèle *adj.* model
moduler to utter; **modulé** modulated, varying in tone
moeurs *f.pl.* habits, customs
le **moignon** stump (*of amputation*)
le **moindre** least
le **moine** monk
moins *adv.* less; **mon pied en —** with one foot missing; **le —** least

le **mois** month
la **moitié** half
le **monastère** monastery
le **monceau** pile
mondanités *f.pl.* social events
le **monde** *m.* world; people
mondain –e *adj.* worldly, social
la **monnaie** small change
monotone *adj.* monotonous
le **monstre** monster
monstrueux –se *adj.* monstrous
la **montagne** mountain
le **montant** sum, amount; **les —s** supports, frame-work
la **montée** rising up, explosion (*upwards*)
monter to climb; to take up into the mountains
Montmartre a quarter of Paris
la **montre** watch
montrer to show
se **moquer de** to make fun of
la **morale** moral, lesson
le **morceau** price
mordre to bite
la **mort** death
mortel –le *adj.* deadly, fatal
le **mortier** mortar, large bowl
le **mouchard** sneak, stool-pigeon
la **mouche** fly (*insect*)
le **mouchoir** handkerchief
la **moue** pout
mourir to die
le **mouton** sheep
moyen –ne *adj.* average
le **moyen** means, way; **au — de** *prep.* by means of
muet –te *adj.* silent
le **murmure** murmur

174

murmurer to murmur, to whisper; to complain
la **musique** music
le **mystère** mystery

N

nager to swim
la **naissance** birth
la **narine** nostril
la **natte** braid
naturel –le *adj.* natural
le **naufragé** *m.* castaway, ship-wrecked person
le **néant** nothingness
la **nécessité** necessity
le **nègre** negro
la **neige** snow
neigeux –se *adj.* snowy
nerveux –se *adj.* nervous
net, nette *adj.* tidy, clean, neat
neuf, neuve *adj.* (*brand*) new
le **neveu** nephew
le **nid** nest
le **niveau** level
noir –e *adj.* black
noircir to blacken
le **noisetier** hazel-nut tree
la **noisette** hazel-nut
le **nombre** number
nommer to name
le **notaire** lawyer
la **note** note, key
nourrir to feed
la **nourriture** food
nouveau, nouvelle *adj.* new; de — anew, again
la **nouvelle** news; **avoir des —s** (*de*) to hear (*from*)

noyer to drown
nu –e *adj.* naked, bare
le **nuage** cloud
la **nuit** night
le **numéro** number
la **nuque** back of the neck

O

objet *m.* object
obligation *f.* bond, debenture
obligeance *f.* kindness
obliger to oblige
obscène *adj.* obscene, filthy
obscur –e *adj.* dark
obscurité *f.* darkness
obséder to obsess; to worry excessively; **obsédant –e** *adj.* piercing, worrisome
observateur *m.* observer
obsession *f.* obsession
obstination *f.* obstinacy
obstinément *adv.* obstinately
obtenir to obtain
obturer to cover tightly
obus *m.* shell; **un éclat d'—** shell fragment
occasion *f.* opportunity
occuper to occupy
occurence *f.* happening; **en l'—** *adv.* under the circumstances
octaédrique *adj.* octahedral, eight-sided
odeur *f.* odour
odorant –e *adj.* sweet-smelling
oeil *m.* eye
office *m.* Divine Service
officier *m.* officer

175

offrir to offer; to give a present

ombre *f.* shade, shadow; trace

ondulation *f.* wave

ondulatoire *adj.* in the form of a wave

onéreux –se *adj.* burdensome

opposé –e opposite

or *conj.* now

or *m.* gold

orage *m.* storm, shower

oratoire oratorical; **précaution —** carefully chosen words

ordonner to order

ordre *m.* order, precision

orgueil *m.* pride

orgue *m.* organ

oreille *f.* ear

oreiller *m.* pillow

organiser to organize

orthographe *f.* spelling

os *m.* bone

oser to venture, to dare

ostentation *f.* ostentation, showing off

ôter to remove, to take off

oublier to forget

outil *m.* tool

outré –e *adj.* extreme, "cut-throat"

ouverture *f.* opening

ouvrier *m.* workman

ouvrir to open

P

la **paie** pay

la **paillasse** mattress

la **paille** straw

pair –e *adj.* even

paisible *adj.* peaceful

la **paix** peace

pâle *adj.* pale

le **palier** landing, top of stair

la **palette** palette

la **palpation** feeling

palper to feel

le **panneau** panel, section

le **pansement** bandage, dressing

le **parapluie** umbrella

le **parc** park

parcimonieusement *adv.* sparingly, carefully

parcourir to go over, to run through

le **parcours de golf** game of golf

par-dessus *prep.* over, on top of

pardonner to pardon, to forgive

le **pare-brise** windshield

le **pare-chocs** bumper

pareil –le *adj.* similar

la **parenthèse** bracket; **ouvrir une —** to get started on a digression

paresseux –se *adj.* lazy

parfait –e *adj.* perfect

parfaitement *adv.* perfectly

parfois sometimes

le **parfum** perfume

parfumé –e *adj.* perfumed

la **paroisse** parish

la **parole** word

parquer to park

la **part** part, share; **quelque —** somewhere

partager to share

le **partenaire** partner

la **particule** particle; nobiliary
    prefix "de"
particulier –ère *adj.* special;
    individual
la **partie** game; party, part
partisan favourable, in favour
    of
partout *adv.* everywhere
la **parure** ornament, jewellery
le **pas** step; **revenir sur ses** —
    to retrace one's steps
pas de quoi no reason
le **passage** passing, passage
le **passant** person passing by
passer to pass, to move; **se**
    — to take place, to hap-
    pen; **passe encore de** it is
    alright to; **— pour** to have
    the reputation of
la **passerelle** gangway
passionné –e *adj.* full of
    emotion
patatin *nonsense syllables*
le **pâté** block (*of houses*)
la **patère** hook (*for hanging*
    clothes)
paternellement like a father
patiemment *adv.* patiently
patienter to be patient
le **patron** employer, boss
la **pâture** pasture, alpine meadow
la **paume** palm (*of hand*)
la **paupière** eyelid
la **pauvreté** poverty
le **paysage** landscape
la **paysanne** peasant
la **peau** skin, hide
le **péché** sin
la **pêche** fishing
la **pêcherie** fishing business
le **pêcheur** fisherman

le **peignoir** (*lady's*) dressing
    gown
peindre to paint
la **peine** pain, trouble; **à —**
    scarcely, barely
la **peinture** painting
le **peloton** squad
penché –e *adj.* bent, leaning
pencher to bend; **se —** to
    bend down
pénétrer to enter
pénible *adj.* painful
péniblement *adv.* painfully
la **pénitence** penance
la **pensée** thought
penser to think
la **pension** boarding-house
le **pensionnaire** boarder, lodger
percer to pierce
percevoir to perceive
perdre to lose
la **perle** pearl
perler to form beads
permettre to allow
personnellement *adv.*
    personally
la **perspective** opportunity
la **perte** loss
permettre to allow
peser to weigh, to press down
le **peu** little
la **Peugeot** *make of French car*
la **phalange** joint (*of a finger*)
la **photo** photograph; **avec —**
    i.e. the Gestapo have a
    photo to help them identify
    the doctor
la **pièce** room
le **pied** foot
le **piège** trap
pierreux –se *adj.* rocky

177

piétiner to trample upon
le pigeon *lit.* pigeon; *fig.* sucker
pigeonner to make fools of
la pipe pipe
piquer to prick, to stab
piqueter to dot, to mark
pire *adj.* worse; le — worst
pis *adv.* worse; tant — it's
  too bad
la piscine swimming pool
la pitié pity
la place place, room; sur —
  on the spot, handy
le plafond ceiling
plafonnier –ère *adj.* on the
  ceiling
la plaie wound
se plaindre to complain
plaintif –ve *adj.* pitiful
plaire to please
plaisanter to joke
la plainte complaint
le plaisir pleasure
la planche plank, board
la planète planet
planter to plant; être planté
  to be standing still
se plaquer to lie down flat
plat –e *adj.* flat
le plâtre plaster
plein –e *adj.* full
pleurer to weep, to cry
pleuvoir to rain
la plongée plunge, dive; submission
plonger to dive
plumer to pluck
la plupart the most
plusieurs several
plutôt *adv.* rather, somewhat
la poche pocket

le poids weight
le poing fist
le point point; à — on time;
  ne — not
la pointe point, small amount
pointer to point, to aim
le pointillé series of dots
la poisse bad luck
le poisson fish
la poitrine chest
le pôle pole
le policier policeman
poliment *adv.* politely
la politesse politeness
la Polonaise Polish lady
le pommier apple-tree
le pompier fireman
ponctuel –le *adj.* punctual
le pont bridge, deck
populaire *adj.* popular
portatif –ve *adj.* portable
la porte door
la porte cochère driveway
le porte-plume penholder
porter to carry, to wear;
  — à to lead
la portière door (*of a vehicle*)
le portraitiste portrait painter
poser to put; to ask (*a question*); il se pose there arises
posséder to possess
le poste employment, position;
  le — de garde guard post
se poster to stand
le poteau post
le pouce thumb
la poudre powder
poudrer to powder
la poule hen, chicken; woman,
  "honey"
le poulet chicken

178

le **poulailler** hen-house
la **poupée** doll
pourquoi why
la **poursuite** pursuit
poursuivre to pursue, to continue
pourtant *adv.* however
la **poussée** push, shove
pouvoir to be able
pousser to push, to utter
poussiéreux –se *adj.* dusty
précis –e *adj.* exact
précisément *adv.* precisely; as a matter of fact
préétablir to decide in advance
préférer to prefer
premier –ère *adj.* first
prendre le maquis to join the Resistance organization
le **prénom** first name
la **préoccupation** anxiety
préoccuper to worry
préparer son silence to prepare oneself to be silent (*the Gestapo tortured its victims in order to make them betray their comrades.*)
Prémontré a monastic order
près de near
prescrire to prescribe, to order
la **présence** presence
présent –e *adj.* present; **à —** *adv.* the way things are now
la **présentation** exhibition, showing
présenter to introduce; **se —** to visit
pressé –e *adj.* hurried, bothered
se **presser** to hurry

la **pression** pressure
prestement *adv.* nimbly
le **prestidigitateur** magician
le **prestige** glamour
presque almost
prêt –e *adj.* ready
prétendre to claim, to assert
prêter to lend
le **prétexte** excuse
la **preuve** proof
prévenir to warn
prier to pray, to ask, to beg
la **prière** prayer, request; **— de** *infin.* please
la **prime** reward, bonus
le **principe** principle
la **prise** taking
le **prisonnier** prisoner
se **priver de** to deprive oneself of
le **privilège** privilege
le **prix** price
proche *adj. & adv.* near, at hand
produire to produce; **se —** to occur
le **produit** product, result
profiter (*de*) to profit (*from*)
la **profondeur** depth
le **projet** plan
le **promeneur** walker
la **promesse** promise
prononcer to pronounce, to offer an opinion
la **proportion** proportion, relationship; **toute —s gardées** taking everything into consideration
proposer to suggest
la **proposition** suggestion
propre own
le **propriétaire** owner

179

se **propulser** to move about, to
get going
prospère *adj.* prosperous
le **protectorat** protectorate
protéger to protect
provenir to come from
la **provision** supply
provisoirement *adv.* temporarily
provoquer to provoke, to
cause
puéril –e *adj.* childish
puis then
puisque since
pulvériser to pulverise
punir (*de*) to punish (*for*)
la **punition** punishment
Pustrule *a manufactured word,*
probably intended to
resemble 'pustule', pimple

Q

le **quadrille** dance involving four
people
le **quai** dock
la **qualité** quality
quand when
quant à *prep.* as for
la **quantité** quantity, large
number
le **quartier** section, district,
barracks
quelques some, several
quelqu'un someone
quéque = **quelque**
se **quereller** to quarrel
le **questionneur** questioner
la **queue** line-up
le **quincaillier** hardware merchant

la **quinzaine** about fifteen, fort-
night, two weeks
quitte à *adv.* even if; — **le**
faire reviser even if it has
to be checked
quoique *conj.* although
quoi qu'il en soit whatever
may come of it

R

le **rabat** flap
se **rabattre** to fall forward
le **rabbin** rabbi
rabrouer to snub; to scold
raccorder to join up; **mal**
raccordé disconnected,
haphazard
raconter to tell, to relate
la **rafale** burst, jerk; squall
raffiné –e *adj.* refined, elegant
rafraîchissant –e *adj.* cooling
raide *adj.* stiff
la **raie** stripe
la **raison** reason, senses
raisonnable reasonable, i.e. not
excessive
raisonner to argue
ralentir to slow
le **ralliement** rally, meeting
ramasser to pick up
ramener to bring back
le **rang** row
ranger to gather up; **se** —
to step aside; to line up;
to put in order
rapetisser to shrink
la **rapidité** speed
rapiécer to mend
rappeler to recall, to remind

180

le rapport connection, report;
  en — similar
à ras de *prep.* level with
raser to shave; to keep close
  to
se rassembler to come together
rassuré –e *adj.* reassured
ravager to eat up; to torture
le ravin ravine, canyon
ravissant –e *adj.* charming
réagir to react
la réalisation production, carrying
  out of a plan
réaliser to cause to come true
la réalité reality, fact
réapparaître to reappear
récemment *adv.* recently
recevoir to receive, to invite
  to come in
le réchaud portable stove
le récit story
réciter to recite
réclamer to demand
recommander to recommend
la récompense reward
la reconnaissance gratitude
reconnaître to look around;
  to recognize
reconquérir to win back
reconstruire to reconstruct
recoucher to lay down again
se recouler to lie back
le reçu receipt
reculer to move backwards
recueillir to gather; to note
  down
récupérer to recover, to get
  back
redouter to fear
se redresser to sit (*stand*) up
  again

se réétendre to stretch oneself
  out again
réduire to reduce
réel –le *adj.* real
refaire to re-do, to replace
réfléchi –e *adj.* deliberate,
  thoughtful
réfléchir (*à*) to think (*about*)
la réflexion thought
le refus refusal
regardant –e *adj.* stingy
regarder to look at
le régiment regiment
le registre register, ledger
le règlement rule
régler to settle
régner to pervade (*lit. to
  reign, to be supreme*)
regretter to regret
régulièrement regularly
reins *m.pl.* back (*lit. kidneys*)
rejoindre to return to, to
  meet again
relancer to restart
relever to raise
la religieuse nun
la relique relic
rembourser to repay
le remède remedy, medicine
remercier to thank
remettre to put back; **— les
  pieds** to set foot again
remonter to climb back
le remords remorse
remplir to fill
le remplaçant successor
remuer to stir
le renard fox
la Renault *make of French car*
le rendez-vous meeting, appoint-
  ment

181

se **rendormir** to fall asleep again

rendre to make; to render; to give back; **se — compte de** to realize

renoncer to give up

renouveler to renew

le **renouvellement** renewal, change

renseignement *m.pl.* information

rentrer to come home

renvoyer to dismiss, to fire

reparaître to reappear

réparer to repair, to make good

le **repas** meal

repentant –e *adj.* remorseful

se **répercuter** to reverberate; **le roulement se répercutait dans la nuque** the jarring moving was concentrated at the back of their necks

repérer to locate; **se faire —** to get oneself caught

replonger to immerse

la **réponse** answer, reply

le **repos** rest; **au –** at peace, content

reposer to rest

repousser to push back

reprendre to take back; to continue; **faire —** to have done over again

la **représentation** performance

la **reprise** occasion, time

le **reproche** reproach, blame

reprocher (*à*) to blame

se **reproduire** to take place

la **répugnance** aversion, dislike

la **réputation** reputation

la **réserve** reservation

réserver to reserve

la **résignation** resignation

la **résonance** sound

résoudre to resolve

le **respect** respect, awe

respecter to respect

respirer to breathe

la **respiration** breathing

ressembler à to resemble

se **ressentir de** to show the effect of

le **ressort** spring

la **ressource** resource

restaurer to restore, to repair

le **reste** remainder

rester to remain, to stay

le **retard** delay, lateness; **en —** late

retenir to hold back, to prevent; **se —** to hold oneself back

retirer to withdraw

retomber to hang down

se **retourner** to turn around

la **retraite** retirement

retrouver to locate

réussir to succeed

la **revanche** revenge

le **rêve** dream

se **réveiller** to wake up

la **révélation** revelation, inspiration; piece of information

révéler to reveal

revenir to come back; **s'en —** to arrive back; **n'y revenez pas** don't bring the subject up again; **— sur ses pas** to retrace one's steps

revivre to relive

revoir to see again

révolter to shock

la **revue** magazine

ricaner to sneer
la **richesse** wealth
ridé –e *adj.* wrinkled
le **rideau** curtain
le **ridicule** absurdity
ridiculiser to make fools of
rien nothing; **plus — d'autre**
nothing else any more
rieur, rieuse *adj.* laughing
rigide *adj.* rigid, unchanging
rigoler to joke, to "kid"
rigoureusement *adv.* rigorously,
severely
rire to laugh; **le —** laugh
le **risque** risk
risquer to risk
le **rite** ritual
la **robe** dress
la **roche** rock
le **rocher** rock
le **roi** king
romanesque *adj.* romantic
ronchonner to grumble
rond –e *adj.* round; **tourner**
en — to wander around
la **ronde** round, game
le **ronflement** faint roar; *lit.*
snoring
ronger to gnaw
rouge *adj.* red
le **rougeoiement** glow
rougeoyer to glow
rougir to become red, to blush
roulant –e *adj.* *lit.* rolling;
fig. smooth, melodious
le **roulement** rolling, motion
la **rue** street
la **ruine** ruin
la **rumeur** noise
la **ruse** ruse, trick
le **rythme** rhythm, routine

S

le **sable** sand
le **sabot** wooden shoe
sache *see* savoir
sacré –e *adj.* *lit.* sacred;
fig. blasted, bloody
le **sacrifice** sacrifice
la **sagesse** wisdom
sain –e *adj.* healthy; **— de**
corps et esprit of sound
mind and body
saisir to seize
le **salaud** "dirty blighter"
sale *adj.* dirty, filthy;
"blasted"
la **saleté** dirty trick
la **salive** saliva
la **saloperie** filthy act
saluer to greet, to bow to
le **sanglot** sob
la **santé** health
satisfaire to satisfy
sauf *prep.* except
sauter to jump
sautiller to hop, to skip
sauvegarder to safeguard
sauver to save
le **sauveur** rescuer
le **savant** learned man
savoir to know
le **savon** soap
le **scandale** scandal
scier to saw, to slice
scruter to examine closely
la **séance** meeting, show
sec, sèche *adj.* dry, withered
la **seconde** second
secouer to shake
le **secours** help; **poste de — de**

première ligne front-line first aid post

la **secteur** sector, district

séduisant –e *adj.* attractive

le **séjour** stay

le **sel** salt

selon according to

la **semaine** week

semblable *adj.* similar

sembler to seem

le **sens** direction; sense; — **interdit** one-way street

la **sensation** feeling

sensiblement *adv.* perceptibly

la **sensibilité** sensitiveness

sentencieux –se *adj.* sententious; with pretended seriousness

la **senteur** smell

le **sentier** path

la **sentinelle** sentinel, guard

se **sentir** to feel

séparer to separate, to sort

la **sérénité** serenity, calmness

sérieux –se *adj.* serious

le **serment** vow, oath

serrer to press; **dents serrées** clenched teeth

la **serrure** lock

le **service** service, military training; **de** — on duty; **pour votre** — to help you

servir to serve; to pay (*money*)

le **serviteur** servant

seulement only

sévère *adj.* severe, showing no emotion

si if, so, as, yes (*in contradiction*)

le **siècle** century

le **sien –ne** *adj.* his, hers

siffler to whistle

le **signe** sign, mark

signifier to signify, to intimate; — **son arrêt** to give notice

silencieux –se *adj.* silent

le **silo** *in "Patrouille de Nuit" this word refers to a long low mound formed by vegetables heaped up and covered for storage*

simplet –te *adj.* artless, unsophisticated

sinon *adv.* otherwise

la **sirène** siren

le **smoking** dinner jacket

sobre *adj.* abstemious (*eating or drinking little*)

la **Société Anonyme** a limited company (*i.e. Co. Ltd.*)

soi *pron.* oneself, itself; — **-disant** *adj.* so-called

soigner to care for

le **soin** care, worry

la **soirée** evening

le **sol** soil

le **soleil** sun

solennel –le *adj.* solemn

le **sommeil** sleep

sommeiller to doze

le **sommet** top, summit

la **somnolence** drowsiness

le **son** sound

songer (*à*) to think (*of*)

sonner to ring

le **sort** fate, destiny

la **sorte** kind

la **sortie** exit; **jour de** — day off

sortir to go out, to leave

le **sot** fool
sot –te *adj.* foolish, crazy
le **sou** cent
soudain –e *adj.* sudden
soudain *adv.* suddenly
le **souffle** breath, whiff
souffler to blow
la **souffrance** suffering
souffrir to suffer
souhaiter to wish
souiller to soil, to make dirty
soulager de to relieve from;
to remove the burden of
soulever to raise
la **soumission** submission, meek-
ness
le **soupçon** suspicion; *fig.* a tiny
bit
soupçonner to suspect
le **souper** supper
soupirer to sigh
la **souplesse** flexibility
le **sourcil** eyebrow; **froncer le —**
to frown
sourd –e *adj.* deaf; dull
sourire to smile; **le —** smile
la **souris** mouse
sous under
sous-marin –e *adj.* underwater
soussigné –e *adj.* the under-
signed
soutenir to bear, to support
se **souvenir** (*de*) to remember;
le — memory
spatial –e *adj.* space
sphérique *adj.* spherical
spirituel –le *adj.* witty
spontané –e *adj.* spontaneous
le **squale** shark
squelettique *adj.* skeleton-like

la **station d'eaux** spa, watering
place
stimuler to arouse
stopper to stop (*a vehicle*)
strié –e *adj.* notched,
scratched
la **stratosphère** stratosphere
stupéfait –e *adj.* aghast,
astounded
le **stupéfiant** narcotic, sedative
la **stupeur** astonishment
stupidement *adv.* dully
subconscient –e *adj.* sub-
conscious
le **succès** success
le **successeur** successor
successivement *adv.* succes-
sively
le **sucre** sugar
le **sucrier** sugar bowl
le **Suédois** Swedish person
la **sueur** perspiration, sweat
suffire to suffice
suffisant –e *adj.* enough
suggérer to suggest
la **suite** continuation; **à sa —**
following after
suivre to follow
le **sujet** subject
le **supplément** extra cost
supplémentaire *adj.* additional
suppliant –e *adj.* beseeching
supplier to beg
supporter to endure
supposer to suppose
sûr –e *adj.* sure, certain
surchauffé –e *adj.* excessively
hot
sûrement *adv.* certainly
surgir to arise
le **surlendemain** two days later

185

surmonter to overcome
surprenant –e *adj.* surprising
se **surexciter** to get worked up
sursauter to start to jump
 (*from fear*)
surtout especially
survécut *see* survivre
survenir to occur
le **survivant** survivor
survivre à to survive
suspecter to suspect
la **sympathie** sympathy
la **synthèse** synthesis; combination
le **système** system

T

le **tabac** tobacco
le **tablier** apron
la **tache** stain
la **tâche** task
la **taille** *f.* height, size; waist
le **tailleur** tailor
se **taire** to be silent
le **talon** heel
tandis que *conj.* while
tant (*de*) so much
tant mieux so much the better
tant que as long as
tantôt . . . tantôt now . . .
 then, sometimes
taper to tap, to push
tapoter to tap
tarder to be late; **ne pas —**
 to happen soon
la **tare** blemish, defect
le **tas** group, heap
se **tasser** to squat, to hunch up

tâtonner to grope, to fumble
le **teint** complexion
tel *pron.* he who
tel que such as
le **témoignage** evidence, proof
le **témoin** witness
la **tempe** temple, side of head
la **température** temperature
le **temps** time, weather; **à —**
 in time
la **ténacité** obstinacy
le **tenancier** keeper (*of a
 gambling den*)
tendre *adj.* tender
tendre to hold out, to
 stretch, to hang
tendue –e *adj.* stretched,
 forced
tenir to hold; **— à** to be
 anxious to; **se —** to stand
la **tension** tenseness
la **tentative** attempt
tenter to tempt
se **terminer** to come to an end
le **Terrien** Earthman
terrestre *adj.* terrestrial,
 earthly
la **terreur** terror
terroriser to terrorize
la **tête** head
têtu –e *adj.* obstinate, stubborn
la **thèse** thesis, essay
tiédir to cool
le **tien** yours
tiens! look!
la **tige** stem
le **tintement** jingle
le **tir** shooting; **champ de —**
 rifle range

186

tirer to pull, to shoot
le tireur marksman, shot
le tiroir drawer
le titre title, headline, certificate
la toile heavy cloth, canvas
le toit roof
tomber to fall
la tombe tomb, grave
le tombeau tombstone
le ton tone, mood; **sur ce —** in this vein
la torpeur torpor, daze
le torrent waterfall
le torse trunk (*part of body*)
la torture torture
tôt soon
touché –e *adj.* touched, affected
la touffe clump
toujours always, still
la tour tower
le tour tour, trick; twin; **faire un — d'horizon banal** to look around casually
le tournant bend (*of a road*)
le touriste tourist
tourner to turn; **— en rond** to wander around
tousser to cough
tout –e all, quite; **— à fait** completely; **— à coup** suddenly; **— d'un coup** all at once
toxique *adj.* poisonous
trahir to betray
la trahison treason, treachery
train mood; **en — de** in the act of
traîner to drag

le trait line, feature; draught, gulp
traiter to treat
la traîtrise treachery
la tranche slice
tranquille *adj.* quiet, peaceful
tranquillement *adv.* quietly, without fuss
transformer to transform
la Trappe Trappist Monastery
trapu –e *adj.* flat, squat
le travail work (*pl. travaux*)
le travers breadth; **à —** through; **en — de** across
traverser to cross
trembler to tremble, to shake
la trentaine about thirty
le trésor treasure
tressé –e *adj.* braided
le tribunal (*law*) court
trier to sort
trimer to slave, to toil
trinquer to drink a toast, to touch glasses
triompher to triumph, to gloat, to rejoice
triste *adj.* sad
la tristesse sadness
se tromper (*de*) to be mistaken (*in*)
la tromperie deception
le trottoir sidewalk
le trou hole
troublant –e *adj.* disturbing
troublé –e *adj.* worried, upset
la troupe troop
la trouvaille something which has been found
le truc trick, gimmick
tuer to kill
tut *see* taire

187

U

uniforme *m.* uniform
unique *adj.* unique, one of its kind
unir to unite
univers *m.* universe
untel *m.* "so-and-so"
urémie *f.* uremia (*a kidney disease*)
usage *m.* custom
usine *f.* factory
usuel –le *adj.* customary
utilisation *f.* use
utiliser to use

V

vacances *f.pl.* holiday
la vache cow, disagreeable person
la vague wave
vaguement *adv.* vaguely
vain –e *adj.* unsuccessful
valant *see* valoir
le valet servant; **— de ferme** hired man
valide *adj.* able-bodied
la valise suitcase
le vainqueur conqueror
valoir to be worth; **mieux —** to be better
la vareuse jacket
vaudrait *see* valoir
le véhicule vehicle
la veille vigil; the day before; **un nuit de —** a night when one had to stay awake
veiller to stay awake; to watch over (*at night*)

la veilleuse night-light; **mettre la lumière en —** to dim the lights
la veine luck
le velours velvet
le velouté smoothness
vendre to sell
vengeur, vengeresse *adj.* vengeful
venir to come; **— de** to have just; **en — là** to come to that
le vent wind
la vente sale
le ventre stomach
ventru –e *adj.* pot-bellied
véritablement *adv.* really
vérifier to check
véritable *adj.* regular, real
la vérité truth
le vernissage exhibition (*preview for critics and friends*)
vers towards, about
verser to pour, to shed
vert –e *adj.* green
le vertige dizziness
vêtement *m.sing.* clothing; *m.pl.* clothes
le vétérinaire veterinary
le veuf widower
le veuvage widowhood
la veuve widow
la victime victim
victorien –ne *adj.* Victorian, i.e. old-fashioned
vide *adj.* empty; **le —** empty space
vider to empty
la vie life; **à —** permanent, for life; **venir à la —** to come to life

le **vieillard** old man
vieillir to grow old
la **vigne** vineyard
vigoureux –se *adj.* strong
vigoureusement *adv.* firmly
la **ville** city, town
la **villa** country or seaside house
le **vinaigre** vinegar
la **vingtaine** about twenty
violemment *adv.* violently
violer to break
viril –e *adj.* virile
le **visage** face; le — de papier
  mâché pasty-faced
la **visite** visit
le **visiteur** visitor
le **vison** mink
la **vitre** window pane
la **vivacité** liveliness, haste
vivant –e *adj.* living, alive
vivre to live; le faire — à
  l'aise to support him in
  comfort
le **voeu** wish, vow
la **vogue** fashion, popularity
voilé –e *adj.* veiled, masked
la **voile** sail
le **voile** veil
le **voilier** sailboat
la **voilure** sails
voir to see

le **voisin** neighbour
voisin –e *adj.* neighbouring
le **voisinage** neighbourhood
la **voix** voice
le **volant** steering wheel
voler to steal, to fly
volontaire voluntary, inten-
  tional, stubborn
la **volonté** will, will-power
volontiers gladly
vouloir to wish, to want, to
  be willing
le **voyou** loafer, bum
vrai –e *adj.* true, real
vraiment *adv.* really, actually
la **vue** view, sight; à — in
  view, under surveillance
vulgaire *adj.* common

Y

yeux *m.pl.* eyes

Z

la **zébrure** stripe; a long, searing
  pain

Type Specifications:

Body — 11 point Times Roman, 2 point leaded

Headings — 18 point Times Roman

Typography, printing, binding
MCCORQUODALE & BLADES PRINTERS LTD., TORONTO, CANADA

TORONTO
HEBREW DAY SCHOOL